FIM DE CASO

OLIVEIROS S
PEREIRA

1/20.2

GRAHAM GREENE

FIM DE CASO

Tradução de
LÉA VIVEIROS DE CASTRO

3ª EDIÇÃO

EDITORA RECORD
RIO DE JANEIRO • SÃO PAULO
2000

CIP-Brasil. Catalogação-na-fonte
Sindicato Nacional dos Editores de Livros, RJ.

Greene, Graham, 1904-1991
G847f   Fim de caso / Graham Greene; tradução de Léa
3ª ed.   Viveiros de Castro. – 3ª ed. – Rio de Janeiro: Record,
2000.

Tradução de: The end of the affair
ISBN 85-01-02742-1

1. Romance inglês. I. Castro, Léa Viveiros de.
II. Título.

00-0081

CDD – 823
CDU – 820-3

Título original inglês:
THE END OF THE AFFAIR

Direitos exclusivos de publicação em língua portuguesa para o Brasil
adquiridos pela
DISTRIBUIDORA RECORD DE SERVIÇOS DE IMPRENSA S.A.
Rua Argentina 171 – Rio de Janeiro, RJ – 20921-380 –Tel.: 585-2000
que se reserva a propriedade literária desta tradução

Impresso no Brasil

ISBN 85-01-02742-1

PEDIDOS PELO REEMBOLSO POSTAL
Caixa Postal 23.052
Rio de Janeiro, RJ – 20922-970

EDITORA AFILIADA

"Há espaços no coração do homem que ainda não possuem existência, e o sofrimento neles penetra para que possam existir."

LÉON BLOY

LIVRO UM

1

UMA HISTÓRIA NÃO TEM princípio nem fim: arbitrariamente, escolhe-se o momento vivido de onde se deve olhar para trás ou para a frente. Eu digo "escolhe-se" com o orgulho incorreto de um escritor profissional que tem sido elogiado — quando observado com seriedade — pela sua habilidade técnica, mas será que, de fato, *escolho* aquela noite escura e úmida de janeiro no Common, em 1946, a figura de Henry Miles atravessando, inclinada, o grande rio de chuva, ou são essas imagens que me escolhem? É conveniente e correto, segundo as regras do meu ofício, começar exatamente aqui, mas se eu tivesse acreditado então em um Deus, poderia também ter acreditado numa voz, sugerindo ao meu ouvido, "Fale com ele: ele ainda não viu você".

Por que motivo eu teria falado com ele? Se ódio não é um termo amplo demais para se usar em relação a um ser humano, eu odiava Henry — também odiava sua mulher, Sarah. E ele, eu acho, logo depois dos acontecimentos daquela noite, passou a me odiar: da mesma forma que, sem dúvida, deve ter, às vezes, odiado sua mulher e aquele outro, em quem, naquela época, tínhamos a sorte de não acreditar. Assim, esta é muito mais uma história de ódio do que de amor, e se eu vier a dizer alguma coisa em favor de Henry e Sarah, podem acreditar: estou sendo imparcial, porque faz parte do meu orgulho profissional preferir me aproximar da verdade, até mesmo a expressar o meu quase-ódio.

Era estranho ver Henry fora de casa numa noite como aquela: ele apreciava seu conforto e, afinal de contas — como eu supunha —, ele possuía Sarah. Para mim, o conforto é como a lembrança errada no lugar ou na hora errada: se alguém está solitário, prefere o desconforto. Havia conforto demais até mesmo em meu conjugado do lado errado — o sul — do Common, nos despojos das mobílias alheias. Pensei em dar uma caminhada pela chuva e tomar uma bebida no bar. O saguão pequeno e atravancado estava cheio de casacos e chapéus desconhecidos e peguei, por engano, o guarda-chuva de alguém — o homem do segundo andar estava recebendo uns amigos. Em seguida, fechei a porta de vidro colorido e avancei, cuidadosamente, pelos degraus, que haviam sido bombardeados em 1944 e que nunca foram consertados. Tinha motivos para me lembrar do fato e de como aquele vidro resistente, feio e vitoriano, agüentou o choque, assim como os nossos avós teriam agüentado.

Assim que comecei a atravessar o Common, percebi que estava com o guarda-chuva errado, pois ele vazava e a chuva corria para o colarinho do meu impermeável, e foi então que vi Henry. Poderia tê-lo evitado muito facilmente; ele estava sem guarda-chuva e, com a luz que vinha do poste, eu podia ver que seus olhos estavam cegos pela chuva. As árvores pretas e nuas não davam qualquer proteção: pareciam canos de água quebrados, e a chuva pingava de seu chapéu duro e escorria em seu sobretudo preto, de funcionário público. Se tivesse passado direto, ele não me teria visto, e eu teria agido bem se tivesse me afastado um pouco da calçada, mas disse:

— Henry, você é quase um estranho. — E vi seus olhos se iluminarem como se fôssemos velhos amigos.

— Bendrix — ele disse afetuosamente, e, no entanto, o mundo inteiro acharia que *ele* é que tinha motivos para odiar, e não eu.

— O que você está fazendo aí na chuva, Henry? — Há homens que inspiram um desejo irreprimível de provocar: homens cujas virtudes a gente não partilha. Ele respondeu, evasivamente:

— Ah, eu queria um pouco de ar.

E, numa súbita rajada de vento e chuva, conseguiu agarrar o chapéu a tempo de evitar que fosse carregado em direção ao lado norte.

— Como vai Sarah? — perguntei porque poderia parecer estranho não fazê-lo, embora nada pudesse me agradar mais do que saber que ela estava doente, infeliz, morrendo. Eu imaginava, naquela ocasião, que qualquer sofrimento dela aliviaria o meu, e que, se ela morresse, eu poderia ser livre: deixaria de imaginar todas as coisas que uma pessoa imagina sob minhas ignóbeis circunstâncias. Poderia até gostar do coitado do Henry, se Sarah estivesse morta.

— Ah, ela foi passar a noite em algum lugar — respondeu. E acionou, outra vez, aquele demônio que havia em minha mente, imaginando as outras vezes em que Henry teria dado esta mesma resposta a outras pessoas, enquanto só eu sabia onde Sarah estava.

— Um drinque? — perguntei.

Para minha surpresa, ele começou a caminhar a meu lado. Nós nunca havíamos tomado um drinque juntos fora de sua casa.

— Faz muito tempo que não vemos você, Bendrix.

Por alguma razão, sou conhecido pelo sobrenome — nem precisaria ter sido batizado, tendo em vista o pouco uso que meus amigos fazem do afetado Maurice que meus literatos pais me deram.

— Muito tempo.

— Puxa, deve ter mais de um ano.

— Junho de 1944 — eu disse.

— Tanto tempo assim? Ora, ora.

Que idiota, eu pensei, o idiota não vê nada demais num intervalo de um ano e meio. Menos de quinhentos metros de grama separavam os nossos dois "lados". Será que nunca lhe havia ocorrido perguntar a Sarah "como vai o Bendrix? Que tal convidar o Bendrix para vir aqui?" e será que as respostas dela nunca lhe pareceram... estranhas, evasivas, suspeitas? Eu tinha sumido tão completamente de suas vistas como uma pedra num poço. Suponho que as marolas tenham perturbado Sarah por uma semana ou um mês, mas os olhos de Henry estavam firmemente vendados. Eu tinha odiado suas vendas, mesmo quando era beneficiado por elas, sabendo que outros delas podiam também se beneficiar.

— Ela foi ao cinema? — perguntei.

— Oh, não, quase nunca vai.

— Costumava ir.

O Pontefract Arms ainda estava decorado para o Natal, com enfeites e sinos de papel, relíquias cor de malva e laranja da euforia comercial, e a jovem proprietária debruçava os seios sobre o bar com um olhar de desprezo para os fregueses.

— Bonito — disse Henry, sem querer dizer isto, e olhou em volta, com um ar meio perdido, com uma certa timidez, procurando um lugar para pendurar o chapéu. Tive a impressão de que o estabelecimento mais semelhante a um bar em que ele já entrara havia sido a churrascaria perto de Northumberland Avenue, onde almoçava com os colegas do ministério.

— O que você vai querer?

— Eu gostaria de um uísque.

— Eu também, mas você vai ter que se contentar com rum.

Sentamo-nos numa mesa e brincamos com nossos copos: eu nunca tivera muito o que dizer a Henry. Não creio que jamais me tivesse dado ao trabalho de conhecer bem Henry ou Sarah se não começasse, em 1939, a escrever uma história que tinha como personagem principal um funcionário público graduado. Uma vez, Henry James, numa discussão com Walter Besant, disse que uma jovem com suficiente talento precisaria apenas passar pelas janelas do refeitório de um quartel e olhar para dentro para poder escrever um romance sobre a Brigada, mas eu acho que, em algum estágio de seu livro, ela acharia necessário ir para a cama com um soldado, ainda que fosse só para checar os detalhes. Não fui exatamente para a cama com Henry, mas fiz quase isto, e, na primeira noite que levei Sarah para jantar, tinha a intenção de me apoderar, a sangue-frio, do cérebro da mulher de um funcionário público. Ela não sabia o que eu estava pretendendo; tenho certeza de que achava que estava genuinamente interessado na sua vida de casada, e talvez isto tenha sido o que despertou sua simpatia por mim. A que horas Henry tomava café? Perguntei a ela. Ia para o escritório de metrô, de ônibus ou de táxi? Trazia trabalho para fazer em casa à noite? Tinha uma pasta com o brasão da família real? Nossa amizade desabrochou por causa de meu interesse: ela estava muito contente de que alguém levasse Henry a sério. Henry era importante, mas da mesma forma que um elefante é importante: por causa do tamanho do seu departamento; há alguns tipos de importância que estão irremediavelmente fadados a não serem levados a sério. Henry era um importante subsecretário do Ministério da Previdência — mais tarde, ele foi para o Ministério da Defesa. Defesa — eu costumava rir disto mais tarde, naqueles momentos em que se odeia o companheiro e se procura qualquer arma... Houve uma época em que eu deliberadamente disse a Sarah que só tinha me ocupado de Henry para copiá-lo, para que ele servisse de modelo para um personagem que era o elemento ridículo, o elemento cômico do meu livro. Foi então que ela começou a não gostar do meu romance. Ela dedicava uma enorme lealdade a Henry (isto nunca pude negar), e naquelas horas sombrias em que o demônio tomava conta do meu cérebro e eu me ressentia até do inofensivo Henry, me utilizava do romance e inventava episódios demasiadamente crus.

Uma vez em que Sarah havia passado uma noite inteira comigo (eu tinha ansiado por isto como um escritor anseia pela última palavra de seu livro), de repente estraguei aquele momento com uma frase ao acaso que rompeu o encanto do que, às vezes, parecia ser um amor completo. Tinha adormecido mal-humorado por volta de duas horas, acordado às três, e, colocando a mão no braço de Sarah, eu a acordei. Acho que tinha a intenção de fazer com que tudo ficasse bem de novo, até que minha vítima virou o rosto para mim, tonta de sono, linda e cheia de confiança. Ela tinha esquecido a discussão e, até neste esquecimento, eu encontrei um novo motivo. Como nós, humanos, somos confusos, e, no entanto, dizem que Deus nos fez; mas eu acho difícil conceber um Deus que não seja tão simples quanto uma equação perfeita, tão claro quanto o ar. Eu disse a ela: "Fiquei acordado pensando no Capítulo Cinco. Henry costuma chupar balas de café para purificar o seu hálito antes de uma conferência importante?" Ela sacudiu a cabeça e começou a chorar silenciosamente e eu, evidentemente, fingi não entender o motivo; uma simples pergunta, era uma preocupação a respeito do meu personagem, não era um ataque contra Henry, as pessoas mais encantadoras às vezes chupam balas de café... E continuei falando assim. Ela chorou um pouco e tornou a adormecer. Ela dormia bem e eu considerei até mesmo sua capacidade para dormir como mais uma ofensa.

Henry bebeu rapidamente o seu rum, com o olhar vagando, infeliz, pelos enfeites cor de malva e laranja. Perguntei:

— Você teve um bom Natal?

— Muito bom. Muito bom — ele disse.

— Em casa? — Henry me olhou como se a inflexão da palavra *casa* lhe soasse estranha.

— Em casa? É claro que sim.

— E Sarah também?

— Sim.

— Quer outro rum?

— É minha vez de buscar.

Enquanto Henry providenciava as bebidas, fui ao banheiro. As paredes estavam rabiscadas com frases do tipo: "Dane-se o proprietário e a peituda da mulher dele" e "A todos os malandros e prostitutas uma alegre sífilis e uma feliz gonorréia". Saí rapidamente para a animação dos enfeites de papel e o tilintar de copos. Às vezes, me desagrada ver minha imagem refletida em outros homens, e nessas horas sinto um enorme desejo de acreditar nos santos e nas virtudes heróicas.

Repeti para Henry as duas frases que havia lido. Eu queria chocá-lo e fiquei surpreso quando ele respondeu simplesmente:

— O ciúme é uma coisa horrível.

— Você está se referindo ao trecho sobre a esposa peituda?

— Estou me referindo a ambos. Quando você está infeliz, você tem inveja da felicidade dos outros.

Isto eu nunca supus que ele aprendesse no Ministério da Defesa. E aqui — nesta frase — a amargura tornou a jorrar da minha pena. Como esta amargura é estúpida e sem vida. Se eu pudesse, escreveria com amor, seria um outro homem: nunca teria perdido o amor.

No entanto, repentinamente, através da superfície de ladrilhos reluzentes da mesa do bar, senti alguma coisa, nada de tão extremo como o amor, talvez nada além de um companheirismo no infortúnio. E perguntei a Henry:

— *Você* é infeliz?

— Bendrix, eu estou preocupado.

— Fale.

Achava que o rum o fizera falar, ou será que ele conhecia parcialmente o que eu sabia a seu respeito? Sarah era leal, mas num tipo de relacionamento como o nosso, sempre se capta uma coisa ou outra... Eu sabia que ele tinha um sinal à esquerda do umbigo porque um sinal meu havia feito Sarah mencioná-lo; sabia que ele era míope, mas que não usava óculos na frente de estranhos (e eu era ainda suficientemente estranho para nunca tê-lo visto de óculos); sabia que ele gostava de tomar chá às dez horas; conhecia até seus hábitos de dormir. Estaria ele consciente de que eu já sabia tanto a seu respeito que um fato a mais não iria alterar o nosso relacionamento?

— Eu estou preocupado com Sarah, Bendrix — ele disse.

A porta do bar se abriu e eu pude ver a chuva caindo contra a luz. Um homenzinho animado projetou-se para dentro e gritou "Oi, todo mundo", e ninguém respondeu.

— Ela está doente? Eu pensei que você tivesse dito...

— Não. Doente não. Acho que não. — Ele olhou em volta, infeliz: aquele não era o seu ambiente. Reparei que o branco de seus olhos estava avermelhado; talvez ele não estivesse usando bastante seus óculos, há sempre tantos estranhos, ou poderia ser conseqüência de ter chorado.

— Bendrix, eu não posso falar aqui — ele disse, como se alguma vez tivesse tido o hábito de falar em outro lugar. — Vamos até lá em casa.

— Sarah já terá voltado?

— Acho que não.

Paguei as bebidas, e este foi mais um sintoma da perturbação de Henry — ele nunca aceitava facilmente a hospitalidade dos outros. Era sempre aquele que, num táxi, tinha o dinheiro à mão, enquanto os outros ainda mexiam nos bolsos. As ruas do Common ainda estavam alagadas, mas a casa de Henry não era longe. Ele abriu a porta, sob a coberta estilo Queen Anne e chamou:

— Sarah, Sarah. — Eu desejava e temia uma resposta, mas ninguém respondeu. — Ainda não chegou. Vamos para o escritório.

Eu nunca havia estado em seu escritório antes: havia sido sempre o amigo de Sarah, e quando encontrava Henry era no território de Sarah, em sua sala de estar em que nada combinava, nada era de época nem planejado, tudo parecia ser daquela mesma semana porque nada podia ficar como símbolo de uma preferência ou de um sentimento passado. Tudo ali era utilizado exatamente como agora no escritório de Henry, eu tinha a sensação de que quase nada havia sido usado. Eu duvidava que o conjunto de Gibbon tivesse sido sequer aberto, e o conjunto de Scott só estava ali porque, provavelmente, havia pertencido a seu pai, assim como a cópia de bronze do Arremessador de Disco. E, no entanto, ele se sentia mais feliz nesta sala sem uso simplesmente porque era sua: uma possessão sua. Eu pensei, com amargura e inveja: quando se possui realmente uma coisa, não se precisa usá-la nunca.

— Um uísque? — perguntou Henry. Lembrei-me de seus olhos

e imaginei se ele estaria bebendo mais do que nos velhos tempos. Não há dúvida de que os uísques que serviu foram generosos.
— O que está perturbando você, Henry? — Há muito havia abandonado aquele romance sobre o funcionário público graduado: não estava mais procurando um modelo.
— Sarah — ele respondeu.
Será que teria ficado assustado se ele tivesse dito aquilo, do jeito que disse, há dois anos? Não, acho que teria ficado radiante — a dissimulação deixa uma pessoa extremamente cansada. Teria aceitado com prazer uma luta franca, mesmo que apenas pela chance, ainda que pequena, de vencer devido a algum erro tático da outra parte. E nunca houve em minha vida, nem antes nem depois, uma ocasião em que eu tanto tivesse querido vencer. Nunca tive um desejo tão forte, nem mesmo de escrever um bom livro.
Ele me olhou com aqueles olhos avermelhados e disse:
— Bendrix, estou com medo.
Eu não podia mais tratá-lo com superioridade: ele também se formara em infelicidade; passara pela mesma escola, e, pela primeira vez, pensei nele como um igual. Lembro-me de que havia em sua escrivaninha uma dessas fotografias antigas, marrons, a fotografia do seu pai. E, olhando-a, pensei em como a fotografia se parecia com Henry (fora tirada mais ou menos na mesma idade, quarenta e poucos anos) e em como era diferente. Não era o bigode que a fazia diferente — era o olhar vitoriano de confiança, de estar à vontade no mundo e saber para onde ir; e, de repente, tive novamente aquela sensação de companheirismo. Gostava mais dele do que teria gostado de seu pai (que havia trabalhado no Tesouro). Ambos éramos forasteiros.
— Do que você está com medo, Henry?
Ele sentou-se numa poltrona como se alguém o houvesse empurrado e disse, desgostoso:
— Bendrix, eu sempre achei que a pior coisa, a pior mesmo, que um homem poderia fazer... — Eu teria certamente ficado

ansiosíssimo naquela época: era-me estranha e infinitamente assustadora a serenidade da inocência.

— Você sabe que pode confiar em mim, Henry.

Era possível, eu achava, que ela tivesse guardado alguma carta, embora tivesse escrito tão poucas. Este é um risco profissional que os autores correm. As mulheres tendem a exagerar a importância de seus amantes e nunca prevêem o momento desastroso em que uma carta indiscreta aparecerá, rotulada de "interessante" num álbum de autógrafos de cinco *shillings*.

— Dê uma olhada nisto, então — disse Henry.

Ele me estendeu uma carta; não era a minha letra.

— Vamos, leia — disse Henry. Era de algum amigo de Henry e ele tinha escrito: "Sugiro que o homem a que você quer ajudar se dirija a um sujeito chamado Savage, na Vigo Street 159. Achei-o discreto e capaz, e seus empregados me pareceram menos desagradáveis do que a maioria desses caras."

— Não estou entendendo, Henry.

— Escrevi para este homem e disse que um conhecido tinha me pedido indicações sobre agências de detetives particulares. É terrível, Bendrix. Ele deve ter desconfiado da verdade.

— Você está realmente querendo dizer que...?

— Não fiz nada, mas a carta está aqui na minha escrivaninha me lembrando... Parece tão idiota que eu tenha tanta segurança de que ela não vá ler esta carta, embora entre aqui dezenas de vezes por dia. Eu nem mesmo guardo-a numa gaveta. E, no entanto, não consigo confiar... ela saiu para dar um passeio. Um *passeio*, Bendrix. — A chuva também tinha penetrado em sua roupa e ele estava segurando a beirada da manga próximo do fogo.

— Sinto muito.

— Você foi sempre um amigo muito especial para ela, Bendrix. Sempre dizem que um marido é a última pessoa a saber realmente que tipo de mulher... Pensei, esta noite, ao vê-lo no Common, que se lhe contasse e você risse de mim, talvez eu conseguisse queimar a carta.

Ficou ali sentado, com o braço úmido estendido, olhando para o outro lado. Nunca havia sentido menos vontade de rir, e, no entanto, eu teria gostado de rir, se fosse capaz.

— Este não é o tipo de situação para rir — eu disse — mesmo que seja realmente fantástico pensar...

— É mesmo fantástico. Você acha que sou mesmo um idiota, não acha? — ele perguntou, esperançoso.

Eu teria rido, de boa vontade, um momento antes, e agora, no entanto, quando bastava que mentisse, todos os velhos ciúmes retornaram. Será que marido e mulher são assim tão ligados que, quando a gente odeia a mulher, tem de odiar o marido também? A pergunta dele lembrou-me como era fácil enganá-lo: tão fácil que ele me parecia quase conivente com a infidelidade da mulher, da mesma forma que um homem que deixa dinheiro espalhado num quarto de hotel é conivente com o roubo; e eu o odiava exatamente por essa característica que, em outra ocasião, havia facilitado o meu amor.

A manga de seu casaco continuava a fumegar em frente ao fogo e ele repetiu, olhando ainda para o outro lado:

— Vejo que você me acha um idiota.

E então o demônio falou:

— Oh, não. Não o acho um idiota, Henry.

— Você está querendo dizer que realmente acha... possível?

— Claro que é possível. Sarah é humana.

— Sempre pensei que você fosse amigo dela — ele disse indignado, como se eu é que tivesse escrito a carta.

— Mas é claro que você a conhece muito melhor que eu.

— De uma certa forma — ele respondeu melancólico, e percebi que estava pensando nos mesmos aspectos de Sarah que eu também havia conhecido bem.

— Você me perguntou, Henry, se eu achava que você era um idiota. Eu só disse que não havia nada de ridículo na idéia. Eu não disse nada contra Sarah.

— Eu sei, Bendrix. Sinto muito. Não tenho dormido bem ultimamente. Acordo no meio da noite pensando o que fazer com esta maldita carta.

— Queime-a.

— Gostaria de poder fazer isto. — Ele ainda segurava a carta e, por um instante, realmente pensei que fosse queimá-la.

— Ou então vá procurar o Sr. Savage — eu disse.

— Mas não posso fingir para *ele* que não sou o marido dela. Imagine, Bendrix, o que deve ser sentar ali, diante de uma escrivaninha, numa cadeira em que todos os outros maridos ciumentos já se sentaram, contando a mesma história... Será que há uma sala de espera onde a gente vê a cara dos outros ao saírem?

Estranho, pensei, podia-se até supor que Henry é um homem imaginativo. Senti minha superioridade abalada e o velho desejo de provocar voltou a agir.

— Por que você não deixa eu ir, Henry?

— Você? — Imaginei por um momento se não teria ido longe demais e se Henry não desconfiaria.

— Sim — eu disse, brincando com o perigo, pois que importância tinha agora se Henry ficasse sabendo de alguma coisa passada? Seria bom para ele e talvez o ensinasse a controlar melhor sua mulher. — Eu poderia fingir que era um amante ciumento — continuei. — Amantes ciumentos são mais respeitáveis e menos ridículos do que maridos ciumentos. Eles são sustentados pelo peso da literatura. Amantes traídos são trágicos, nunca cômicos. Pense em Troilus. Não vou perder meu amor-próprio quando me deparar com o Sr. Savage.

A manga de Henry já estava seca, mas ele ainda a estendia perto do fogo e o tecido já começava a ficar chamuscado.

— Você realmente faria isto por mim, Bendrix? — ele perguntou. E havia lágrimas em seus olhos, como se ele nunca tivesse esperado ou merecido este sinal supremo de amizade.

— Claro que faria. Sua manga está queimando, Henry.

Olhou para a manga como se não fosse sua.

— Mas isto é fantástico — ele disse. — Não sei onde estava com a cabeça. Primeiro, contar para você e, depois, pedir-lhe isto. Não se pode espionar a própria mulher através de um amigo... e este amigo fingir ser o amante.

— Ah, isto não se deve fazer — eu disse. — Nem trair, nem roubar, nem fugir do fogo inimigo. As coisas que não se deve fazer são feitas todos os dias, Henry. Faz parte da vida moderna. Eu mesmo já fiz a maioria delas.

— Você é um cara legal, Bendrix. Eu só estava precisando era de uma boa conversa para clarear a mente. — E, então, ele realmente queimou a carta. Depois que colocou o último pedacinho no cinzeiro, eu disse:

— O nome era Savage e o endereço era Vigo Street 159 ou 169.

— Esqueça — disse Henry. — Esqueça o que lhe contei. Não faz sentido. Tenho tido dores de cabeça muito fortes ultimamente. Vou procurar um médico.

— Este barulho foi da porta — eu disse. — Sarah chegou.

— Ah — ele disse —, deve ser a empregada. Ela foi ao cinema.

— Não, era o andar de Sarah.

Ele foi até a porta, abriu-a e, automaticamente, seu rosto adquiriu aquela expressão absurda de gentileza e afeição. Eu costumava irritar-me com esta reação mecânica diante dela, pois nada significava. Não se pode acolher sempre com prazer a presença de uma mulher, mesmo que se esteja apaixonado. E eu acreditava em Sarah quando ela me dizia que eles nunca haviam sido apaixonados um pelo outro. Havia uma acolhida mais genuína, eu achava, nos meus momentos de ódio e desconfiança. Pelo menos para mim, ela era uma pessoa por si mesma, não parte de uma casa como uma peça de porcelana, a ser manuseada com cuidado.

— Sa-rah — ele chamou —, Sa-rah. — Espaçando as sílabas com uma falsidade insuportável.

Como posso mostrar a um estranho o modo como ela parou ao

pé da escada e se virou para nós? Nunca fui capaz de descrever nem mesmo meus personagens fictícios a não ser através de suas ações. Sempre me pareceu que, num romance, o leitor devia poder imaginar um personagem como quisesse: não quero fornecer-lhe ilustrações prontas. Agora, sou traído por minha própria técnica, pois não quero que Sarah seja substituída por nenhuma outra mulher: quero que o leitor veja aquela testa larga e aquela boca atrevida, a conformação do crânio, mas só o que consigo mostrar é uma figura indefinida, virando-se com a sua capa encharcada e dizendo "Sim, Henry?" E, depois, "Você?" Ela havia sempre me chamado de "você". "É você?", ela perguntava no telefone. "Você pode?", "Você vai?", "Você quer?" De modo que eu imaginava, como um idiota, durante alguns minutos de cada vez, que só havia um "você" no mundo e que era eu.

— É bom vê-la — eu disse. (Este era um dos momentos de ódio.) — Você foi dar um passeio?

— Fui.

— Está uma noite horrível — eu disse acusadoramente, e Henry acrescentou, com aparente ansiedade:

— Você está totalmente encharcada, Sarah. Qualquer dia você vai pegar uma gripe fatal.

Uma frase feita, com sua sabedoria popular pode, às vezes, soar numa conversa como um mau agouro; no entanto, mesmo que soubéssemos que ele falava a verdade, pergunto-me se algum de nós teria sentido verdadeiro desejo de que ela escapasse de nosso nervosismo, nossa desconfiança e nosso ódio.

2

NÃO POSSO DIZER QUANTOS dias se passaram. A velha perturbação tinha voltado e, neste estado de escuridão, assim como um cego
não pode notar as mudanças de luz, não se consegue perceber a pas-
sagem dos dias. Foi no sétimo ou no vigésimo primeiro dia que decidi
a atitude a tomar? Tenho uma vaga lembrança, agora, depois de três
anos de vigílias no Common, observando de longe a casa perto do
lago ou sob o pórtico da igreja do século dezoito, na esperança de a
porta se abrir e Sarah descer aqueles não corroídos e bem esfrega-
dos degraus. A hora certa nunca chegou. Os dias chuvosos termi-
naram e as noites ficaram bonitas com a geada, mas como numa casa
meteorológica arruinada, nem o homem nem a mulher saíam; nunca
mais vi Henry atravessando o Common depois do anoitecer. Talvez
estivesse envergonhado do que me havia contado, pois era um homem convencional. Escrevo este adjetivo com escárnio, e, no entanto, observando-me, só encontro admiração e confiança para com
o convencional, como as cidadezinhas que se vêem na estrada quando
se passa de carro, e que parecem tão tranqüilas, todas em pedra e
sapê, sugerindo paz.

Lembro-me de que sonhei um bocado com Sarah naqueles dias
ou semanas obscuros. Às vezes, acordava com uma sensação de dor,
às vezes de prazer. Se uma mulher está o dia inteiro em nossos pensamentos, não se deveria sonhar com ela à noite. Eu estava tentando
escrever um livro que simplesmente não saía. Escrevia diariamente

minhas quinhentas palavras, mas os personagens nunca adquiriram vida. No ofício de escrever, muita coisa depende da superficialidade do dia do autor. Pode-se estar preocupado com compras e devoluções de imposto de renda e com conversas ocasionais, mas o curso do inconsciente continua a fluir imperturbável, solucionando problemas, planejando para o futuro: a gente se senta, estéril e deprimido, na escrivaninha e, de repente, as palavras surgem como se viessem do ar: as situações que pareciam bloqueadas num impasse insolúvel andam para a frente: o trabalho foi feito durante o sono ou enquanto a gente fazia compras ou conversava com os amigos. Mas o ódio e a suspeita, a paixão por destruir foi mais forte que o livro — foi nela que o inconsciente trabalhou, até que, uma manhã, acordei e soube, como se tivesse planejado na véspera, que naquele dia eu iria visitar o Sr. Savage.

Que estranho conjunto formam as profissões de confiança. Uma pessoa confia em seu advogado, em seu médico, em seu padre quando se é católico, e agora acrescentei à lista o detetive particular. A idéia de Henry, de que seria analisado pelos outros clientes, era totalmente falsa. O escritório tinha duas salas de espera, e fui admitido sozinho numa delas. Era curiosamente diferente do que se esperaria encontrar na Vigo Street — tinha algo da atmosfera bolorenta da ante-sala de um advogado, combinado com uma seleção de revistas de atualidades que lembrava a sala de espera de um dentista — havia *Harper's Bazaar, Life* e várias revistas francesas de moda, e o homem que me recebeu era um tanto bem vestido e atencioso demais. Colocou uma cadeira perto do fogo para mim e fechou a porta com muito cuidado. Senti-me como um paciente e suponho que realmente o fosse, suficientemente doente para tentar o famoso tratamento de choque contra o ciúme.

A primeira coisa que observei no Sr. Savage foi sua gratava: suponho que ela representava alguma antiga associação de rapazes; em seguida, notei como seu rosto estava bem barbeado sob a fina camada de talco; depois sua testa, com o cabelo claro recuado, que brilhava — um farol de compreensão, simpatia, ansiedade em servir. Notei que quando nos cumprimentamos ele torceu meus dedos de um modo esquisito. Acho que deve ter sido maçom, e se eu tivesse sido capaz de devolver o cumprimento, provavelmente teria recebido um tratamento especial.

— Sr. Bendrix? — ele disse. — Sente-se. Acho que esta é a cadeira mais confortável.

Ajeitou uma almofada para mim e ficou de pé, solícito, ao meu lado, até que eu estivesse instalado. Então, puxou uma cadeira reta para o meu lado como se fosse me tomar o pulso.

— Agora, conte-me tudo com suas próprias palavras — ele disse. Não posso imaginar que outras palavras eu poderia ter usado além das minhas. Senti-me embaraçado e amargo: não tinha ido até lá em busca de simpatia, mas para pagar, se estivesse ao meu alcance, por uma assistência profissional.

— Não sei qual o preço que o senhor cobra para vigiar — comecei.

O Sr. Savage arrumou delicadamente sua gravata listrada e disse:

— Não se preocupe com isto agora, Sr. Bendrix. Cobro três guinéus por esta primeira consulta, mas, se o senhor não quiser prosseguir, não cobro nada, nada mesmo. A melhor propaganda, como o senhor sabe — ele inseriu o clichê como se fosse um termômetro —, é um cliente satisfeito.

Em situações semelhantes, acho que todos se comportam de uma forma muito parecida e usam as mesmas palavras. Eu disse:

— Este é um caso muito simples — e percebi, com raiva, que o Sr. Savage realmente conhecia tudo a respeito antes que eu começasse a falar. Nada do que tivesse para dizer seria estranho para o Sr. Savage, nada que ele pudesse desencavar já não teria sido desencavado dúzias de vezes naquele ano. Até um médico, às vezes, fica desconcertado com um paciente, mas Sr. Savage era um especialista que lidava com uma única doença, da qual ele conhecia cada sintoma.

— Não tenha pressa, Sr. Bendrix — disse ele com uma horrível gentileza.

Eu estava ficando confuso como todos os seus pacientes.

— Não há realmente nada para servir como ponto de partida — eu expliquei.

— Ah, esse é o meu trabalho — disse o Sr. Savage. — Basta o senhor me dar a impressão, a atmosfera. Presumo que estejamos falando da Sra. Bendrix.

— Não exatamente.

— Mas ela passa por sua mulher?

— Não, você está entendendo tudo errado. Ela é mulher de um amigo meu.

— E ele mandou o senhor aqui?

— Não.

— Talvez o senhor e a dama sejam íntimos?

— Não. Eu só a vi uma vez desde 1944.

— Acho que não estou entendendo. O senhor disse que este é um caso de vigilância.

Não tinha percebido até então o quanto ele me havia irritado.

— E uma pessoa não pode amar ou odiar por todo esse tempo? — explodi. — Não interprete mal. Sou simplesmente mais um de seus clientes ciumentos, não pretendo ser diferente do resto, mas no meu caso há um atraso.

O Sr. Savage pôs a mão no meu braço como se eu fosse uma criança impaciente.

— Não há nada de vergonhoso a respeito do ciúme, Sr. Bendrix. Sempre o recebo como um sinal de amor verdadeiro. Agora, esta dama que estamos discutindo, o senhor tem razões para supor que ela agora está íntima de outro?

— O marido dela acha que ela o está enganando. Ela tem encontros reservados. Mente a respeito de onde esteve. Ela tem... segredos.

— Ah, sim, segredos.

— Pode não ser nada disto, é claro.

— Na minha longa experiência, Sr. Bendrix, é quase certo ser.

— Como se já me tivesse tranqüilizado o suficiente para me fazer prosseguir com o tratamento, o Sr. Savage voltou para sua escrivaninha e se preparou para escrever. Nome. Endereço. Ocupação do marido. Com o lápis pronto para tomar nota, o Sr. Savage perguntou: — O Sr. Miles sabe a respeito desta entrevista?

— Não.

— O nosso homem não deve ser percebido pelo Sr. Miles?

— É evidente que não.

— Isto complica as coisas.

— Talvez eu mostre a ele os seus relatórios, mais tarde. Não sei.

— O senhor pode me dar algumas informações a respeito da casa? Eles têm empregada?

— Têm.

— De que idade?

— Não sei. Uns trinta e oito.

— O senhor sabe dizer se ela tem admiradores?

— Não. E não sei o nome da avó dela.

O Sr. Savage deu-me um sorriso paciente: pensei, por um momento, que ele ia sair da escrivaninha para me fazer outro afago.

— Estou vendo, Sr. Bendrix, que o senhor não tem muita experiência em investigações. Uma empregada é muito relevante. Pode nos dizer muita coisa a respeito dos hábitos da patroa, se estiver disposta. O senhor ficaria surpreso se soubesse o quanto é importante até para a mais simples investigação. — Ele certamente provou seu ponto de vista naquela manhã: cobriu páginas e páginas com a sua letrinha apertada. Num momento, ele interrompeu o interrogatório para me perguntar: — O senhor faria alguma objeção a que um de meus homens fosse até a sua casa, caso fosse absolutamente necessário?

Eu disse a ele que não me importaria e, imediatamente, senti como se estivesse admitindo uma infecção no meu próprio quarto.

— Se puder ser evitado...

— É claro. É claro. Compreendo.

E acredito realmente que ele compreendia. Eu poderia ter-lhe dito que a presença de um de seus homens seria como poeira sobre a mobília e sujaria meus livros como se fosse fuligem, e ele não teria sentido qualquer surpresa ou irritação. Tenho a mania de escrever em folhas limpas de papel almaço: basta uma mancha, uma pequena nódoa de chá numa folha para inutilizá-la. E tomou conta de mim, então, a idéia fantástica de que eu precisava trancar o meu papel no caso de um visitante repugnante.

— Seria melhor se ele me avisasse antes... — eu disse.

— Certamente, mas nem sempre é possível. Seu endereço, Sr. Bendrix, e o número do seu telefone?

— Não é uma linha particular. Minha senhoria tem uma extensão.

— Todos os meus homens são muito discretos. O senhor quer relatórios semanais ou prefere receber apenas o resultado final da investigação?

— Semanais. A investigação pode não terminar nunca. Provavelmente não há nada para descobrir.

— O senhor costuma ir ao médico e não encontrar nada de errado? O senhor sabe, Sr. Bendrix, o fato de um homem sentir necessidade dos nossos serviços quase invariavelmente significa que há alguma coisa a relatar.

Suponho que tinha sorte de tratar com o Sr. Savage. Ele havia sido recomendado como menos desagradável do que a maioria dos profissionais de sua área, mas, mesmo assim, achei detestável sua segurança. A investigação de um inocente não é, se se pensar bem, um ofício muito respeitável. Pois não são os amantes quase sempre inocentes? Eles não cometeram um crime, estão certos de que não fizeram nada de errado. "Contanto que ninguém saia ferido além de mim" — o velho refrão está sempre pronto em seus lábios, e o amor, é claro, serve de desculpa para tudo —, assim eles acreditam, e eu também acreditava na época em que amava.

E quando chegamos às despesas, o Sr. Savage mostrou-se surpreendentemente moderado: três guinéus por dia mais despesas, "que devem ser aprovadas, é claro". Ele as explicou como "um café extra, o senhor sabe e, às vezes, o nosso homem precisa de um drinque". Soltei uma leve piada fazendo restrições ao uísque, mas o Sr. Savage não detectou o humor. "Sei de um caso", ele me disse, "em que a investigação de um mês foi salva por um uísque duplo na hora certa, o uísque mais barato da vida de meu cliente." Falou-me que alguns de seus clientes gostavam de receber relatórios diariamente, mas eu lhe disse que me contentava com os semanais.

Todo o negócio foi tratado rapidamente: eu estava quase convencido, quando saí na Vigo Street, de que este era o tipo de entrevista que aconteceria com todos os homens, mais cedo ou mais tarde.

3

"E HÁ MAIS ALGUMA coisa relevante que o senhor possa me dizer?" Lembro-me do Sr. Savage dizendo — para um detetive, assim como para um novelista, é fundamental juntar material sem importância antes de escolher a pista correta. Mas como é difícil esta escolha — a liberação do tema real. A enorme pressão do mundo exterior pesa sobre nós como uma *peine forte et dure*. Agora que estou escrevendo minha própria história, o problema ainda é o mesmo, só que pior — há muito mais fatos, agora que não preciso inventá-los. Como posso desenterrar o personagem humano da cena opressiva — o jornal diário, a refeição diária, o tráfego se arrastando em direção a Battersea, as gaivotas vindo do Tâmisa à procura de pão, e o início do verão de 1939 reluzindo no parque onde as crianças faziam navegar seus barcos — um desses verões brilhantes e condenados de antes da guerra? Eu imaginava se, com um esforço de memória, poderia detectar, na festa que Henry dera, o seu futuro amante. Encontramo-nos pela primeira vez tomando um péssimo *sherry* sul-africano por causa da guerra da Espanha. Acho que notei Sarah porque ela era feliz: naquela época, a sensação de felicidade vinha morrendo aos poucos com a tempestade que se aproximava. Podia-se detectá-la nos bêbados e nas crianças, raramente em outras pessoas. Gostei dela imediatamente porque disse que tinha lido meus livros e não se deteve no assunto — senti-me tratado como um ser humano e não como um autor. Nem me passou pela cabeça apaixonar-me por ela. Para início de conversa, ela era bonita, e mulheres bonitas, especialmente se também forem inteligentes, despertam um sentimento de inferioridade em mim. Não sei se os psicólogos já falaram sobre o complexo de Cophetua, mas sempre achei difícil sentir desejo sexual sem alguma espécie de sensação de superioridade, física ou mental. A única coisa que me chamou a atenção, naquela primeira vez, foi sua beleza, sua felicidade e seu modo de tocar as pessoas com as mãos, como se as amasse. Só consigo lembrar-me de uma coisa que ela me disse, além da afirmação com que iniciou a conversa: "Você realmente parece não gostar de uma série de pessoas." Talvez eu tenha feito comentários maliciosos a respeito de meus colegas escritores. Não me lembro.

Que verão foi aquele. Não tentarei determinar o mês exato — teria que passar novamente por muito sofrimento —, mas lembro-me de ter saído da sala quente e cheia de gente, depois de muito *sherry*, e de ter andado pelo Common com Henry. O sol batia no Common, empalidecendo a grama. À distância, as casas eram uma gravura vitoriana, pequenas, bem delineadas e tranqüilas: apenas uma criança chorava ao longe. A igreja do século dezoito parecia um brinquedo numa ilha de grama — o brinquedo podia ser deixado lá fora no escuro, naquele tempo seco e estável. Era a hora em que se fazem confidências a um estranho.

— Nós todos poderíamos ser tão felizes — disse Henry.

— É.

Senti uma enorme afeição por ele, ali em pé no Common, longe de sua festa, com lágrimas nos olhos.

— Você tem uma linda casa — eu disse.

— Foi minha mulher que a encontrou.

Eu o havia conhecido há uma semana, em outra festa: naquela época, ele trabalhava no Ministério da Previdência, e eu tinha puxado conversa com ele por causa do meu material. Dois dias depois chegou o cartão. Soube mais tarde que Sarah é que o tinha forçado a mandá-lo.

— Você está casado há muito tempo? — perguntei.

— Dez anos.

— Achei sua mulher encantadora.

— Ela é uma grande ajuda para mim — disse. Pobre Henry. Mas por que eu deveria dizer pobre Henry? Afinal, não era ele quem tinha as cartas vencedoras, as cartas da gentileza, da humildade e da confiança?

— Preciso voltar — disse ele. — Não posso deixar tudo com ela, Bendrix — e pôs a mão em meu braço como se já nos conhecêssemos há muito tempo. Será que ele tinha aprendido aquele gesto com ela? As pessoas casadas acabam se parecendo uma com a outra.

Caminhamos de volta lado a lado, e quando abrimos a porta de entrada da sala, vi, refletidas no espelho de uma alcova, duas pessoas se separando como de um beijo — uma era Sarah. Olhei para Henry. Ou ele não tinha visto ou não se importava — ou então, pensei, que homem infeliz ele era.

Teria o Sr. Savage considerado aquela cena relevante? Soube mais tarde que não era um amante que a estava beijando; era um dos colegas de Henry do Ministério da Previdência, cuja mulher tinha fugido com um competente marinheiro, uma semana antes. Ela o tinha encontrado pela primeira vez aquele dia, e era pouco provável que ele ainda fizesse parte da cena da qual eu havia sido tão firmemente excluído. O amor não leva tanto tempo assim para se manifestar.

Gostaria de ter deixado o passado em paz, pois ao escrever a respeito do ano de 1939, sinto voltar-me todo o ódio. Ele parece mexer com as mesmas glândulas que o amor: produz até as mesmas ações. Se não nos tivessem ensinado a interpretar a história da Paixão, será que seríamos capazes de dizer, julgando apenas pelas ações, se foi o ciumento Judas ou o covarde Pedro quem amou a Cristo?

4

QUANDO CHEGUEI DO escritório do Sr. Savage e minha senhoria disse-me que a Sra. Miles havia telefonado, senti a mesma euforia que costumava sentir quando ouvia fechar-se a porta da frente e, a seguir, o som de seus passos na entrada. Tive a louca esperança de que minha visão alguns dias antes tivesse despertado não amor, é claro, mas um sentimento, uma lembrança sobre a qual eu pudesse trabalhar. Na época, pareceu-me que se pudesse tê-la mais uma vez — por mais rápida, rude e insatisfatoriamente que fosse — ficaria de novo em paz: eu a teria tirado do meu universo e depois poderia deixá-la, e não ela a mim.

Era estranho discar aquele número depois de dezoito meses de silêncio: Macaulay 7753, e ainda mais estranho ter de olhá-lo em meu caderno de endereços por não ter certeza do último dígito. Fiquei sentado, ouvindo o telefone tocar, imaginando se Henry já teria voltado do Ministério e o que lhe diria se ele atendesse. Então, percebi que não havia mais nada de errado com a verdade. As mentiras me haviam abandonado, e me senti solitário como se elas tivessem sido minhas únicas amigas.

A voz de uma empregada eficiente repetiu o número nos meus ouvidos. Eu perguntei:

— A Sra. Miles está?

— Sra. Miles?

— Aí não é Macaulay 7753?

— É.

— Eu quero falar com a Sra. Miles.

— O senhor discou o número errado — e desligou. Nunca me havia ocorrido que as pequenas coisas também se alteram com o tempo.

Procurei Miles no catálogo, mas ainda constava o número antigo. O catálogo já tinha mais de um ano. Ia ligar para Informações quando o telefone tocou, e era Sarah. Ela disse, com um certo embaraço:

— É você? — ela nunca tinha me chamado pelo nome, e, agora, sem as velhas palavras de carinho, estava confusa.

— É Bendrix — eu disse.

— Aqui é Sarah. Você não recebeu meu recado?

— Ah, eu ia ligar para você, mas tinha que terminar um artigo. A propósito, acho que não tenho seu telefone atual. Está no catálogo, eu suponho.

— Não. Ainda não. Nós nos mudamos. É Macaulay 6204. Eu queria pedir uma coisa para você.

— Sim?

— Não é nada de tão terrível. Eu queria almoçar com você, só isto.

— É claro. Eu ficaria encantado. Quando?

— Poderia ser amanhã?

— Não. Amanhã não. Sabe, eu simplesmente tenho que terminar este artigo...

— Quarta-feira?

— Poderia ser na quinta?

— Sim — ela disse, e eu quase conseguia imaginar o seu desapontamento neste monossílabo, tal a forma que o nosso orgulho consegue nos trair.

— Então eu encontro você no Café Royal à uma hora.

— É muita bondade sua — disse ela, e eu sabia, pela sua voz, que ela estava sendo sincera. — Até quinta.

— Até quinta.

Fiquei sentado com o fone na mão e visualizei o ódio como um homem feio e idiota que ninguém gostaria de conhecer. Disquei o número dela, devo tê-la apanhado antes que ela tivesse tempo de sair do telefone, e disse:

— Sarah, amanhã está bem. Eu tinha-me esquecido de uma coisa. Mesmo lugar. Mesma hora — e sentado ali, os dedos segurando o aparelho mudo, prevendo alguma coisa, pensei: eu me lembro. Nisso se resume a esperança.

5

ABRI O JORNAL NA MESA e li a mesma página várias vezes porque não queria olhar para a porta. As pessoas não paravam de entrar e eu não seria daqueles que, por virar a cabeça freqüentemente, demonstram uma expectativa idiota. O que será que temos para esperar que nos permite ficar tão desapontados? Havia o assassinato de sempre no jornal e um bate-boca do Parlamento a respeito de racionamento, e ela estava cinco minutos atrasada. Para meu azar, ela me pegou olhando o relógio. Ouvi sua voz dizendo:

— Sinto muito. Vim de ônibus e o trânsito estava horrível.

— O metrô é mais rápido — eu disse.

— Eu sei, mas eu não queria ser rápida.

Ela me desconcertava freqüentemente com a verdade. Na época em que estávamos apaixonados, eu tentava forçá-la a dizer mais do que a verdade — que o nosso caso não acabaria nunca, que um dia nos casaríamos. Eu não teria acreditado, mas teria gostado de ouvir as palavras em sua boca, talvez apenas para ter a satisfação de rejeitá-las. Mas ela nunca entrava neste jogo de faz-de-conta e então, inesperadamente, abalava minha guarda com uma afirmação de muita doçura e abrangência... Lembro-me de uma vez em que eu estava infeliz pela sua calma suposição de que um dia o nosso relacionamento iria terminar, quando ouvi, com incrível alegria: "Eu nunca, nunca amei um homem como amo você, e nunca vou amar." Ela não sabia, eu pensei, mas ela também entrou no jogo de faz-de-conta.

Ela se sentou ao meu lado e pediu um copo de cerveja.

— Reservei uma mesa no Rules — eu disse.

— Nós não podemos ficar aqui?

— Era onde sempre costumávamos ir.

— É.

Talvez estivéssemos demonstrando nossa tensão, pois notei que havíamos atraído a atenção de um homenzinho que estava sentado num sofá não muito longe. Tentei desconcertá-lo e foi fácil. Ele tinha um bigode comprido e olhos castanho-claros e desviou rapidamente os olhos: bateu com o cotovelo no copo de cerveja e derrubou-o no chão, ficando todo embaraçado. Fiquei com pena, então, porque me ocorreu que ele poderia ter-me reconhecido de fotografias; poderia até ser um de meus poucos leitores. Havia um garotinho com ele, e é muito cruel humilhar um pai na presença do filho. O menino ficou todo vermelho quando o garçom correu e o pai começou a se desculpar com uma veemência desnecessária:

Eu disse a Sarah:

— É claro que você deve almoçar onde quiser.

— Sabe, eu nunca mais voltei lá.

— Bem, aquele nunca foi o seu restaurante, não é?

— Você vai muito lá?

— É conveniente para mim. Duas ou três vezes por semana.

Ela se levantou abruptamente e disse:

— Vamos — e foi tomada, de repente, por um acesso de tosse. Parecia tosse demais para um corpo tão pequeno; sua testa ficou coberta de suor.

— Isto parece sério.

— Oh, não é nada. Desculpe.

— Táxi?

— Prefiro andar.

Quando se sobe Maiden Lane pelo lado esquerdo, há uma porta e uma grade que atravessamos sem trocar palavra. Depois do primeiro jantar, em que a interrogara acerca dos hábitos de Henry, entusiasmando-a com meu interesse, eu a havia beijado desajeitadamente a caminho do metrô. Não sei por que fiz aquilo, a não ser, talvez, por me ter vindo à cabeça aquela imagem do espelho, pois não tinha sequer a intenção de fazer amor com ela: não desejava nem ao menos tornar a procurá-la. Ela era bonita demais para que eu a considerasse acessível.

Quando nos sentamos, um dos velhos garçons me disse:

— Faz muito tempo que o senhor não vem aqui — e eu desejei não ter mentido a Sarah.

— Oh, eu tenho almoçado lá em cima ultimamente.

— E a senhora, Madame, também já faz muito tempo...

— Quase dois anos — ela respondeu com a precisão que eu, às vezes, detestava.

— Mas lembro-me de que a senhora gostava de uma boa cerveja.

— Você tem uma boa memória, Alfred — e ele ficou radiante com o elogio. Ela sempre tivera jeito para lidar com garçons.

A comida interrompeu aquela nossa conversinha horrível, e só quando terminamos de comer ela deu alguma indicação de por que estava ali.

— Eu queria que você almoçasse comigo — ela disse —, porque queria falar com você sobre Henry.

— Henry? — eu repeti, tentando não me mostrar desapontado.

— Estou preocupada com ele. Como você o achou naquela noite? Ele lhe pareceu estranho?

— Não notei nada de errado — eu disse.

— Eu queria pedir... oh, eu sei que você é muito ocupado... mas será que você poderia procurá-lo de vez em quando? Acho que ele se sente solitário.

— Com você?

— Você sabe que ele nunca prestou muita atenção em mim. Há muito tempo.

— Talvez ele tenha começado a prestar atenção quando você se ausenta.

— Eu não saio muito hoje em dia — disse ela, e a sua tosse interrompeu, convenientemente, o rumo da conversa. Quando o acesso passou, ela já tinha preparado seu lance, embora não lhe fosse habitual evitar a verdade. — Você está escrevendo um novo livro? — perguntou. Era como um estranho falando, o tipo de estranho que se encontra num coquetel. Ela não havia feito esta observação nem mesmo na primeira vez, quando tomamos o sherry sul-africano.

— É claro.

— Não gostei muito do último.

— Foi muito difícil escrever naquele momento — a Paz chegando... — E eu poderia muito bem ter dito a paz indo embora.

— Às vezes eu tinha medo que você retomasse aquela velha idéia, aquela que eu odiava. Alguns homens o teriam feito.

— Levo um ano para escrever um livro. É muito trabalho para uma vingança.

— Se você soubesse o pouco de que tinha para se vingar...

— E claro que estou brincando. Nós nos divertimos juntos; somos adultos, sabíamos que teria de terminar algum dia. Agora, olhe só, nós podemos nos encontrar como amigos e conversar sobre Henry.

Paguei a conta e saímos, e dez metros à nossa frente estavam a porta e a grade. Parei na calçada e disse:

— Suponho que você esteja indo para o Strand?

— Não, Leicester Square.

— Eu vou para o Strand. — Ela ficou parada na entrada; a rua estava vazia. — Vou despedir-me de você aqui. Foi bom vê-la.

— Sim.

— Procure-me quando estiver livre.

Movi-me em sua direção; podia sentir a grade sob meus pés.

— Sarah — eu disse. Ela virou a cabeça rapidamente, como se

estivesse olhando para ver se estava vindo alguém, para ver se have-ria tempo... Mas quando tornou a se virar, a tosse tomou conta dela. Dobrou-se em duas ali na entrada, tossiu e tossiu. Seus olhos fica-ram vermelhos. Dentro do seu casaco de pele, parecia um animal-zinho encurralado.

— Desculpe.

— Você precisa se tratar — eu disse com amargura, como se alguma coisa me tivesse sido roubada.

— É só uma tosse. — Ela estendeu-me a mão e disse: — Até logo, Maurice. — O nome foi como um insulto. Respondi "Até logo" mas não apertei a mão dela. Afastei-me rapidamente, sem olhar para os lados, tentando demonstrar que estava ocupado e aliviado de par-tir, quando ouvi a tosse recomeçar. Desejei ser capaz de assoviar uma melodia, alguma coisa alegre e ritmada, mas não tenho mesmo ou-vido para música.

6

QUANDO JOVENS, CRIAMOS hábitos de trabalho que acreditamos eternos e capazes de suportar qualquer catástrofe. Durante mais de vinte anos, consegui escrever uma média de quinhentas palavras por dia, cinco vezes por semana. Consigo produzir um romance em um ano, o que me permite um bom espaço de tempo para a revisão e para a correção do texto. Sempre fui muito metódico e quando minha cota de trabalho está terminada, interrompo mesmo que seja no meio de uma cena. Uma vez ou outra, durante o trabalho da manhã, conto quantas palavras escrevi e marco, de cem em cem, no manuscrito. O editor não precisa fazer uma revisão muito cuidadosa do meu trabalho, pois na primeira página do texto datilografado está assinalado o número — 83.764. Quando eu era jovem, nem mesmo um caso de amor alterava meus horários. Um caso de amor tinha que acontecer depois do almoço, e por mais tarde que eu me deitasse — desde que dormisse em minha própria cama — lia o que havia feito de manhã, pois o sono é bom conselheiro. Até mesmo a guerra pouco me afetou. Uma perna aleijada me deixou fora do Exército, e, como eu estava na Defesa Civil, meus companheiros ficavam muito satisfeitos por eu nunca querer os tranqüilos plantões matinais. Ganhei, em conseqüência disto, uma falsa reputação de dedicação, mas só me dedicava mesmo à minha escrivaninha, à minha folha de papel, àquela cota de palavras surgindo lenta e metodicamente da minha pena. Foi preciso Sarah para perturbar a disciplina que me havia imposto. As bombas daqueles primeiros ataques à luz do dia e os VIS de 1944 mantiveram convenientemente seus hábitos noturnos, mas quase sempre só de manhã eu podia ver Sarah. À tarde, ela quase nunca estava livre das amigas que, tendo feito suas compras, queriam companhia para conversar antes da sirene noturna. Às vezes ela vinha no intervalo de duas compras, e fazíamos amor entre o verdureiro e o açougueiro. Mas era muito fácil voltar a trabalhar mesmo nessas condições. Contanto que se seja feliz, consegue-se suportar qualquer disciplina: foi a infelicidade que me quebrou os hábitos de trabalho. Quando comecei a perceber o quanto discutíamos, o quanto a provocava com minha irritação, conscientizei-me de que nosso amor estava condenado: o amor tinha-se transformado num caso de amor com um princípio e um fim. Eu era capaz de dizer o momento exato em que ele havia começado, e sabia que um dia seria capaz de dizer a hora exata do fim. Quando ela ia embora, não conseguia sentar-me para trabalhar: reconstituía o que havíamos dito um ao outro e era tomado de raiva ou remorso. E o tempo todo sabia que estava forçando o passo. Eu estava empurrando para fora da minha vida a única coisa que amava. Enquanto pude fazer de conta que o amor durava, fui feliz — acho que fui até agradável no convívio. E então o amor durou. Mas se o amor tinha que morrer, eu queria que morresse logo. Era como se nosso amor fosse uma pequena criatura apanhada numa armadilha e que estivesse sangrando até a morte: eu tinha que fechar os olhos e torcer o seu pescoço.

Durante todo esse tempo não consegui trabalhar. Grande parte do que um romancista escreve, como já disse, acontece no inconsciente: naquelas profundezas, a última palavra já está escrita antes mesmo que a primeira apareça no papel. Nós recordamos os detalhes da história, não os inventamos. A guerra não perturbou essas profundas cavernas marinhas, mas agora havia algo infinitamente mais importante para mim do que a guerra, do que o meu romance — o fim do amor. Ele estava sendo trabalhado agora como uma história: a palavra afiada que a fez chorar, que pareceu ter vindo tão espontaneamente a meus lábios, havia sido afiada nessas cavernas submarinas. Meu romance ficava para trás, mas meu amor se apressava para o seu final como uma inspiração.

Não me surpreendo de ela não ter gostado do meu último livro. Foi todo escrito contra a vontade, sem entusiasmo, pela simples razão de que precisava continuar vivendo. Os revisores disseram que era o trabalho de um artífice: foi tudo o que me restou da antiga paixão. Achei que no próximo romance talvez a paixão voltasse, o entusiasmo despertasse de novo com a recordação de coisas das quais nunca tive consciência. Mas durante uma semana, depois do almoço com Sarah no Rules, não consegui trabalhar. Lá vai de novo — o eu, eu, eu, como se esta fosse a minha história e não a história de Sarah, de Henry e, é claro, daquele terceiro que eu odiava sem sequer conhecer, até mesmo sem acreditar em sua existência.

Tinha tentado trabalhar pela manhã e não conseguira: bebi demais no almoço, e a tarde ficou perdida: depois que escureceu, fiquei na janela com as luzes apagadas e vi as janelas iluminadas da parte norte através do Common escuro. Estava muito frio e o aquecedor a gás só me esquentava se eu ficasse encolhido bem perto dele, mas então ele me chamuscava. Alguns flocos de neve flutuaram pelos postes de luz do lado sul e tocaram a vidraça como dedos grossos e úmidos. Não ouvi a campainha tocar. Minha senhoria bateu na porta e disse:

— Um Sr. Parkis quer vê-lo — indicando assim, por um artigo gramatical, o *status* social do meu visitante. Eu nunca tinha ouvido aquele nome, mas disse-lhe para fazê-lo entrar.

Imaginei onde já teria visto aqueles olhos gentis e que pareciam se desculpar, aquele bigode comprido e fora de moda, úmido por causa do mau tempo. Eu tinha acabado de acender a minha lâmpada de leitura e ele veio em sua direção, espiando com olhos míopes; não conseguia distinguir-me nas sombras. Ele disse:

— O senhor é o Sr. Bendrix?

— Sou.

— Meu nome é Parkis — disse, como se aquilo significasse alguma coisa para mim. E acrescentou: — Trabalho para o Sr. Savage.

— Ah, sim. Sente-se. Aceita um cigarro?

— Oh, não senhor — disse ele —, não em serviço, exceto, é claro, como disfarce.

— Mas você não está de serviço agora, está?

— De um certo modo, sim. Acabei de ser substituído, senhor, por meia hora, enquanto faço meu relatório. O Sr. Savage disse que o senhor queria relatórios semanais, com despesas.

— Há alguma coisa a relatar? — Eu não sabia se sentia desapontamento ou excitação.

— O papel não está totalmente em branco, senhor — ele disse complacentemente e tirou um extraordinário número de papéis e envelopes do bolso, à procura do papel certo.

— Sente-se, por favor. Você está me deixando constrangido.

— Como queira. — Sentando-se, ele podia ver-me um pouco melhor. — Já não o encontrei antes em algum lugar?

Eu tinha tirado do envelope a primeira folha: era a nota das despesas, escrita numa letra toda certinha, como a de um menino de escola.

— Você tem uma letra muito clara — eu disse.

— Foi o meu garoto que escreveu. Eu o estou treinando no ofício. — E acrescentou apressadamente: — Não cobro nada por ele, senhor, a não ser quando o deixo no meu lugar, como agora.

— Ele está no seu lugar?

— Só enquanto faço o relatório.

— Quantos anos ele tem?

— Mais de doze — ele disse, como se o filho fosse um relógio.

— Um garoto pode ser útil e não custa nada, exceto uma revistinha uma vez ou outra. E ninguém lhe presta atenção. Garotos estão sempre rondando à toa.

— Parece um trabalho estranho para um menino.

— Bem, senhor, ele não sabe realmente do que se trata. Se se tratasse de invadir um quarto, eu não o levaria.

Eu li:

18 de janeiro	Dois jornais	2d.
	Passagem de metrô	1/8d.
	Café. Gunters	2/ -

Ele me observava atentamente enquanto eu lia.

— O café foi mais caro do que eu gostaria — ele disse —, mas era o mínimo que eu poderia tomar sem atrair a atenção.

19 de janeiro	Metrôs	2/4d.
	Garrafas de cerveja	3/ -
	Coquetel	2/6d.
	Copo de cerveja	1/6d.

Ele interrompeu minha leitura outra vez.

— A cerveja está me pesando um pouco na consciência, senhor, porque derrubei um copo por descuido. Mas estava um pouco nervoso, por haver alguma coisa a relatar. O senhor sabe, às vezes são semanas de desapontamento, mas desta vez, no segundo dia...

É claro que eu me lembrava dele e do garoto envergonhado. Eu li em 19 de janeiro (pude ver, de relance, que em 18 de janeiro só havia registro de movimentos insignificantes): "A pessoa em questão foi de ônibus para Piccadilly Circus. Parecia agitada. Subiu a Rua Air até o Café Royal onde um cavalheiro esperava por ela. Eu e meu filho..."

Ele não me deixava em paz:

— O senhor vai notar que este é um caso diferente. Nunca deixo o garoto transcrever os relatórios quando existe algo de caráter mais íntimo.

— Você cuida bem dele — eu disse.

"Eu e o garoto nos sentamos num sofá próximo", eu li. "A pessoa em questão e o cavalheiro eram obviamente muito íntimos, tratando um ao outro com uma afetuosa falta de cerimônia, e acho que, numa ocasião, deram-se as mãos por baixo da mesa. Não pude certificar-me disto, mas a mão esquerda da pessoa em questão ficou fora de visão e a mão direita do cavalheiro também, o que geralmente indica um carinho desta natureza. Depois de uma conversa curta e íntima, foram a pé para um restaurante tranqüilo e afastado, conhecido por seus clientes como Rules. Preferiram um sofá a uma mesa e pediram duas costeletas de porco."

— As costeletas de porco são importantes?

— Podem ser sinais de identificação, caso sejam saboreadas com freqüência.

— Então você não identificou o homem?

— O senhor vai ver, se continuar a ler.

"Tomei um coquetel no bar enquanto observava o pedido das costeletas de porco, mas não obtive a identidade do cavalheiro nem com os garçons nem com a garçonete do bar. Embora disfarçasse minhas perguntas com uma aparente e vaga indiferença, elas obviamente despertaram curiosidade, e achei melhor ir embora. No entanto, consegui manter-me observando o restaurante, travando conhecimento com o porteiro da saída dos artistas do Teatro Vaudeville."

— Como — eu perguntei — você travou conhecimento com ele?

— No bar do Bedford Head, enquanto observava se as pessoas em questão estavam suficientemente ocupadas com as costeletas, e depois o acompanhei de volta ao teatro, onde a saída dos artistas...

— Eu conheço o lugar.

— Tentei resumir o relatório ao que era essencial.

— Perfeitamente.

O relatório continuava: "Depois do almoço, as pessoas em questão subiram juntas Maiden Lane e se separaram diante de uma mercearia. Tive a impressão de que agiam sob forte emoção e ocorreu-me que poderiam estar se separando definitivamente. Um final feliz, se assim posso dizer, para esta investigação."

Mais uma vez ele me interrompeu, ansioso:

— O senhor vai desculpar o toque pessoal.

— É claro.

— Mesmo na minha profissão, às vezes nos emocionamos, e eu gostei da dama, da pessoa em questão, quero dizer. Hesitei entre seguir o cavalheiro ou a pessoa em questão, mas concluí que minhas instruções não permitiam a primeira opção. Portanto, escolhi a segunda. Ela caminhou um pouco na direção de Charing Cross Road, parecendo muito agitada. Depois, entrou na National Portrait Gallery, mas ficou poucos minutos...

— Há mais alguma coisa de importância?

— Não, senhor. Acho que ela realmente só estava procurando um lugar para se sentar, porque logo em seguida entrou numa igreja.

— Uma igreja?

— Uma igreja católica em Maiden Lane. O senhor vai encontrar tudo aí. Mas não para rezar, só para sentar.

— Até isto você sabe, não é?

— Naturalmente, segui a pessoa até o interior da igreja. Ajoelhei-me algumas fileiras atrás para parecer um autêntico fiel, e posso assegurá-lo de que ela não rezou. Ela não é católica, é?

— Não.

— Ela sentou-se no escuro até se acalmar.

— Talvez ela fosse encontrar alguém?

— Não, senhor. Ela ficou três minutos e não falou com ninguém. Se o senhor quer mesmo saber, ela queria chorar um pouco.

— Possivelmente. Mas está errado a respeito das mãos, Sr. Parkis.

— As mãos?

Eu me movi de modo que a luz caísse diretamente em meu rosto.

— As nossas mãos não se tocaram.

Senti pena dele depois que fiz minha piada — tive pena de ter assustado uma pessoa já tão tímida. Ele me olhou com a boca um pouco aberta, como se tivesse recebido um golpe súbito e estivesse esperando, paralisado, a próxima pancada. Eu disse:

— Acho que este tipo de erro deve acontecer freqüentemente, Sr. Parkis. O Sr. Savage deveria ter-nos apresentado.

— Oh, não, senhor — ele disse, infeliz —, isso cabia a mim. — Baixou a cabeça e ficou sentado, olhando o chapéu sobre os joelhos. Tentei animá-lo:

— Não é assim tão grave. Se observarmos de fora, é realmente muito engraçado.

— Mas eu não estou de fora — ele disse. Rodou o chapéu e prosseguiu com uma voz tão úmida e melancólica quanto a praça lá fora. — Não é com o Sr. Savage que me importo. Ele é um homem muito compreensivo, levando-se em conta a profissão: é o meu garoto. Ele tem grandes idéias a meu respeito. — Ele desencavou das profundezas da sua infelicidade um sorriso reprovador e assustado. — O senhor sabe o tipo de leitura que eles fazem. Nick Carters e coisas no gênero.

— Mas por que ele precisa saber?

— A gente tem que jogar limpo com uma criança. E ele vai, certamente, fazer perguntas. Vai querer saber como eu prossegui; é isto que ele está aprendendo, a prosseguir.

— Você não poderia dizer a ele que eu identifiquei o homem, só isto, e que não fiquei interessado?

— O senhor é gentil em sugerir isto, mas a gente tem que examinar a situação sob todos os ângulos. Eu poderia fazer isto, mesmo com o meu garoto, mas o que ele vai pensar se vier a cruzar com o senhor no decorrer da investigação?

— Isto não precisa acontecer.

— Mas poderia, Sr. Bendrix.

— Por que não deixá-lo em casa desta vez?

— Isto só pioraria as coisas. Ele não tem mãe, está de férias e sempre tive o hábito de educá-lo durante as férias, com a completa aprovação do Sr. Savage. Não, fiz papel de bobo desta vez e tenho que admitir. Se pelo menos ele não fosse tão sério, mas realmente fica sentido quando faço uma burrada. Um dia o Sr. Prentice, o assistente do Sr. Savage, um homem muito duro, disse "Outra das suas burradas, Parkis" na presença do garoto. Isto abriu-lhe os olhos. — Ele se levantou com um ar de enorme resolução (quem somos nós para medir a coragem de outro homem?) e disse: — Estou tomando o seu tempo falando dos *meus* problemas.

— Eu gostei de ouvi-lo, Sr. Parkis — eu disse, sem ironia. — Tente não se preocupar. Seu filho deve ser parecido com você.

— Ele tem a cabeça da mãe — disse tristemente. — Preciso apressar-me. Está frio lá fora. Embora tenha achado um lugar bem abrigado para ele ficar, é tão interessado que eu não creio que ainda esteja seco. O senhor se importaria de rubricar as despesas, se as aprovar?

Observei-o da janela, com o seu leve impermeável com a gola levantada e o velho chapéu virado para baixo; a neve tinha aumentado e sob a terceira lâmpada ele já parecia um boneco de neve. Ocorreu-me, com espanto, que por dez minutos eu não tinha pensado em Sarah nem em meu ciúme; havia-me tornado suficientemente humano para pensar nos problemas de outra pessoa.

7

O CIÚME, ASSIM EU PENSAVA, só existe se aliado ao desejo. Os autores do Velho Testamento gostavam de usar a expressão "um Deus ciumento", e talvez este fosse um modo rude e indireto de expressar a sua crença no amor de Deus pelo homem. Mas acho que há diferentes tipos de desejo. O meu desejo, agora, estava mais próximo do ódio do que do amor, e Henry — eu tinha razões para acreditar nisso —, pelo que Sarah me havia dito, há muito tempo deixara de sentir qualquer desejo físico por ela. No entanto, acho que, naquela época, ele estava com tanto ciúme quanto eu. Seu desejo era simplesmente por companheirismo: ele se sentiu, pela primeira vez, excluído da confiança de Sarah: estava preocupado e desesperado — não sabia o que estava acontecendo nem o que iria acontecer. Estava vivendo uma terrível insegurança. Neste sentido, sua situação era pior que a minha. Eu tinha a segurança de não possuir nada. Não podia ter nada além do que já havia perdido, enquanto ele ainda tinha a presença dela à mesa, o som de seus passos na escada, o abrir e fechar de portas, o beijo no rosto — duvido que houvesse muito mais do que isto agora, mas este pouco significa muito para um homem faminto. E talvez o que lhe agravasse as coisas fosse já ter sentido uma segurança que eu nunca havia tido. Ora, no momento em que o Sr. Parkis voltava pela Common, ele não sabia sequer que Sarah e eu havíamos sido amantes. E ao escrever esta palavra, o meu cérebro, contra a minha vontade, viaja irresistivelmente de volta ao ponto em que a dor começou.

Uma semana inteira se passou, depois do beijo desajeitado em Maiden Lane, até que eu telefonasse para Sarah. Ela havia mencionado no jantar que Henry não gostava de cinema e portanto ela raramente ia. Estava em exibição no Warner's um filme baseado num dos meus livros, e então, em parte para me mostrar, em parte porque achava que aquele beijo devia, de alguma forma, ter uma continuidade, e em parte também porque ainda estava interessado na vida de casado de um funcionário público, convidei-a para me acompanhar.

— Suponho que não valha a pena convidar Henry.

— De jeito nenhum — ela disse.

— Ele poderia nos encontrar para jantar, depois?

— Tem trazido muito trabalho para fazer em casa. Algum liberal miserável vai fazer uma pergunta na semana que vem, no Parlamento, a respeito de viúvas.

Pode-se dizer que o liberal — acho que era um galês chamado Lewis — fez a cama para nós naquela noite.

O filme não era bom, e em determinados momentos foi extremamente doloroso ver situações que haviam sido tão reais para mim distorcidas nos clichês mostrados na tela. Desejei ter ido a outro lugar com Sarah. A princípio, eu havia dito a ela "não foi isto que eu escrevi, sabe" mas não podia continuar dizendo aquilo. Ela me tocou com a mão, para demonstrar simpatia, e dali em diante ficamos sentados com as mãos enlaçadas como costumam ficar as crianças e os amantes. Súbita e inesperadamente, por alguns momentos apenas, o filme ganhou vida. Esqueci que aquela história era minha, que aquele diálogo era meu, e fiquei genuinamente comovido com uma pequena cena num restaurante barato. O amante havia pedido bife acebolado e a moça hesitou por um instante em comer as cebolas porque o marido não gostava do cheiro. O amante ficou ofendido e zangado porque percebeu o que havia por trás daquela hesitação, o que o fez lembrar o inevitável beijo na volta para casa. A cena foi um sucesso: eu havia desejado transmitir o sentimento de paixão através de um episódio simples e banal, sem nenhuma retórica em palavras ou ações, e funcionou. Por alguns segundos, senti-me feliz — isto era escrever: eu não estava interessado em mais nada no mundo. Queria ir para casa e reler a cena: queria trabalhar em algo novo: queria, e como queria, não ter convidado Sarah Miles para jantar.

Depois — estávamos no Rules e eles tinham acabado de trazer nossos filés — ela disse:

— Houve uma cena que você *realmente* escreveu.

— A das cebolas?

— É. — E naquele exato momento foi colocado na mesa um prato de cebolas. Naquela noite, nem me havia passado pela cabeça desejá-la. E lhe disse:

— E Henry gosta de cebolas?

— Não. Ele não as suporta. Você gosta?

— Gosto. — Ela me serviu e depois se serviu de cebolas.

Será que é possível se apaixonar a partir de um prato de cebolas? Parece improvável e no entanto eu poderia jurar que foi exatamente aí que me apaixonei. Não foram, é claro, simplesmente as cebolas — foi aquela sensação súbita de uma mulher singular, de uma franqueza que, mais tarde, tantas vezes me faria feliz e infeliz. Pus a mão em seu joelho por baixo da mesa e sua mão juntou-se à minha.

— Este filé está bom — eu disse, e ouvi sua resposta como se fosse poesia:

— É o melhor que já comi em minha vida.

Não houve perseguição nem sedução. Deixamos metade do ótimo filé nos pratos, um terço da garrafa de vinho e saímos para a Maiden Lane com a mesma intenção nas mentes. Exatamente no mesmo lugar de antes, ao lado da entrada e da grade, nos beijamos.

— Estou apaixonado — eu disse.

— Eu também.

— Não podemos ir para casa.

— Não.

Tomamos um táxi ao lado da estação de Charing Cross e disse ao motorista para levar-nos para Arbuckle Avenue — este era o nome que haviam dado para Eastbourne Terrace, a fileira de hotéis que havia ao lado de Paddington Station, com nomes luxuosos como Rits, Carlton e outros no gênero. As portas dos hotéis estavam sempre abertas e era possível conseguir um quarto a qualquer momento por uma ou duas horas. Há uma semana atrás tornei a visitar o Terrace. Metade acabou — a metade onde ficavam os hotéis foi totalmente destruída e o lugar em que fizemos amor naquela noite não passava de um espaço vazio. Era o Bristol; havia um vaso de samambaias no saguão e fomos conduzidos ao melhor quarto por uma gerente de cabelos azulados: um quarto autenticamente eduardiano com uma enorme cama dourada, cortinas de veludo vermelho e um grande espelho. (As pessoas que vinham para Arbuckle Avenue nunca pediam camas separadas.) Lembro-me muito bem dos detalhes mais banais; a gerente perguntou se iríamos passar a noite; o quarto custou quinze *shillings* por pouco tempo de uso; o medidor de eletricidade só aceitava *shillings* e nós não tínhamos nenhum. Mas não me lembro de mais nada — da aparência de Sarah naquela primeira vez ou do que fizemos, apenas de que estávamos nervosos e fizemos amor muito mal. Não teve importância. Tínhamos começado, isto era importante. Havia toda uma vida de expectativas. Ah, e há outra coisa de que sempre me lembro. Na porta de nosso quarto ("nosso quarto" por meia hora), quando tornei a beijá-la e disse o quanto detestava a idéia de ela voltar para casa e para Henry, ela disse:

— Não se preocupe. Ele está ocupado com as viúvas.

— Detesto até mesmo a idéia dele beijá-la — eu disse.

— Ele não vai me beijar. Não há nada que ele mais deteste do que cebolas.

Vi sua casa no Common. A luz estava acesa no escritório de Henry e subimos. Na sala, ficamos com as mãos apertadas de encontro ao corpo um do outro, incapazes de nos separar.

— Ele vai subir a qualquer momento — eu disse.

— Nós podemos ouvi-lo — ela disse e acrescentou com uma terrível lucidez —, tem um degrau que sempre range.

Não tive tempo de tirar o casaco. Beijamo-nos e ouvimos o rangido do degrau. Observei tristemente a calma de seu rosto quando Henry entrou. Ela disse:

— Estávamos com esperança de que você subisse e nos oferecesse um drinque.

Henry disse:

— É claro. O que você vai querer, Bendrix?

Respondi que não ia beber. Tinha trabalho para fazer.

— Pensei que você nunca trabalhasse à noite.

— Ah, isto não conta. É uma resenha.

— Algum livro interessante?

— Não muito.

— Gostaria de ter o seu poder de colocar as coisas em palavras.

Sarah levou-me até a porta e nos beijamos outra vez. Naquele momento, era de Henry que eu gostava e não de Sarah. Era como se todos os homens do passado e do futuro lançassem sua sombra sobre o presente.

— O que foi que houve? — ela me perguntou. Sempre foi rápida em ler, por trás de um beijo, o sussurro no cérebro.

— Nada — eu disse. — Telefono para você amanhã de manhã.

— É melhor eu telefonar — ela me disse. Precaução, eu pensei, precaução. Que habilidade em conduzir um caso destes, e tornei a me lembrar do degrau que sempre — "sempre" foi a palavra que ela usou — rangia.

LIVRO DOIS

LIVRO DOIS

1

A SENSAÇÃO DE INFELICIDADE é muito mais fácil de se transmitir do que a de felicidade. Na tristeza, parecemos estar conscientes da nossa própria existência, muito embora sob a forma de um monstruoso egocentrismo: esta dor é minha, este nervo que estremece pertence a mim e a mais ninguém. Mas a felicidade nos anula: perdemos nossa identidade. Palavras de amor humano foram usadas pelos santos para descrever sua visão de Deus; e da mesma forma, suponho, poderíamos usar termos de prece, meditação, contemplação, para explicar a intensidade do amor que sentimos por uma mulher. Também renunciamos à memória, ao intelecto, à inteligência e também sentimos a privação, a *noche oscura* e, às vezes, como uma recompensa, uma espécie de paz. O ato do amor em si mesmo tem sido descrito como a pequena morte, e os amantes, às vezes, experimentam também uma pequena paz. É estranho me ver escrevendo estas frases como se amasse o que, de fato, odeio. Às vezes não reconheço meus próprios pensamentos. O que sei de expressões como "a noite escura" ou de orações, quem tem apenas uma oração? Eu as herdei, é tudo, como um marido que é deixado, pela morte, na posse inútil de roupas de mulher, perfumes, potes de creme... E, no entanto, *havia* esta paz...

É assim que penso naqueles primeiros meses de guerra — seria uma falsa paz, bem como uma falsa guerra? Parece-me agora que a guerra estendeu braços de conforto e tranqüilidade sobre todos aqueles meses de dúvida e de espera, mas suponho que a paz, mesmo naquela época, deve ter sido pontuada por incompreensão e desconfiança. Assim como fui para casa naquela primeira noite sem nenhuma satisfação, apenas com uma sensação de tristeza e resignação, muitas e muitas vezes voltei para casa em outros dias com a certeza de que era apenas um dentre muitos homens — o amante favorito do momento. Esta mulher, que eu amava tão obsessivamente, se acordasse à noite, imediatamente encontrava sua imagem em meu cérebro e desistia de dormir, parecia dedicar todo o seu tempo a mim. E, no entanto, não conseguia confiar: no ato do amor eu podia ser arrogante, mas, sozinho, bastava que me olhasse no espelho para ver a dúvida, na forma de um rosto marcado e de uma perna aleijada — por que eu? Havia sempre ocasiões em que não podíamos nos encontrar — horas marcadas com um dentista ou uma costureira, ocasiões em que Henry recebia, quando eles estavam sozinhos juntos. Não adiantava dizer a mim mesmo que em sua própria casa ela não teria oportunidade de me trair (com o egoísmo de um amante, eu já usava esta palavra com a presunção de um dever inexistente) enquanto Henry trabalhava nas pensões das viúvas ou — pois ele foi logo retirado deste trabalho — na distribuição de máscaras contra gases e no projeto de caixas de papelão, pois eu sabia que era possível fazer amor nas circunstâncias mais perigosas, se houvesse o desejo. A desconfiança cresce com o sucesso de um amante. Ora, logo na segunda vez em que nos vimos aconteceu justamente o que eu teria julgado impossível.

Acordei com a tristeza do seu último cauteloso conselho ainda na mente, e, três minutos depois, a sua voz no telefone a dissipou. Nunca conheci uma mulher, antes ou depois, com tanta capacidade de alterar todo um estado de espírito simplesmente por falar no telefone ou entrar num aposento ou colocar a mão ao meu lado. Ela recriava instantaneamente a confiança absoluta que eu perdia a cada saparação.

— Alô — ela disse. — Você está dormindo?

— Não. Quando eu posso ver você? Agora de manhã?

— Henry está resfriado. Vai ficar em casa.

— Se ao menos você pudesse vir aqui...

— Tenho que ficar em casa para atender o telefone.

— Só porque ele está resfriado?

Na noite passada, eu tinha sentido amizade e simpatia por Henry, mas agora ele já tinha se tornado um inimigo que devia ser ironizado, ferido e, secretamente, derrotado.

— Ele perdeu completamente a voz.

Senti um prazer malicioso pelo absurdo desta doença: um funcionário público sem voz, murmurando rouca e inutilmente a respeito de pensões de viúvas.

— Não há nenhuma maneira de vê-la? — perguntei.

— Mas é claro que há.

Houve um silêncio na linha e pensei que a ligação havia sido cortada. Eu disse "alô, alô". Mas ela estava pensando, só isto, cuidadosa, controlada e rapidamente, a fim de que pudesse dar-me, de imediato, a resposta certa.

— Eu vou levar uma bandeja para Henry na cama, à uma hora. Nós dois poderíamos comer sanduíches na sala. Vou dizer a ele que você quer conversar comigo sobre o filme, ou sobre aquela sua história.

Assim que ela desligou, aquela sensação de confiança foi abafada e pensei: quantas vezes ela já planejou assim? Quando fui para a casa dela e toquei a campainha, senti-me como um inimigo — ou um detetive — prestando atenção em suas palavras do mesmo modo que Parkis e o filho iriam observar seus movimentos alguns anos depois. Então a porta se abriu e a confiança voltou.

Nunca houve, naquela época, nenhuma dúvida quanto a quem desejava quem — estávamos juntos no desejo. Henry recebeu sua bandeja recostado em dois travesseiros, vestido em seu robe de lã verde, e embaixo, na sala, no chão de madeira, com uma única almofada como apoio e com a porta entreaberta, fizemos amor. Quando o momento chegou, tive que pôr a mão, delicadamente, sobre sua boca para abafar aquele estranho e triste grito de abandono, com medo de que Henry pudesse escutar lá de cima.

E pensar que eu queria apenas me apoderar do seu cérebro. Agachei-me no chão a seu lado e olhei e olhei, como se nunca mais fosse ver — o cabelo de um castanho indeterminado parecendo uma poça de bebida derramada no chão, o suor na fronte, a respiração ofegante como se tivesse disputado uma corrida e, como uma jovem atleta, estivesse estirada, na exaustão da vitória.

E então o degrau rangeu. Por um instante, nenhum de nós se moveu. Os sanduíches estavam empilhados, intactos, sobre a mesa, os copos não haviam sido usados. Ela disse, num sussurro:

— Ele veio aqui embaixo.

Ela se sentou numa cadeira e colocou um prato no colo e um copo ao lado.

— E se ele tiver ouvido? — eu disse.

— Ele não saberia o que era. — Devo ter parecido incrédulo, porque ela explicou com incrível ternura: — Pobre Henry. Isto nunca aconteceu, durante todos estes dez anos. — Mas mesmo assim, não estávamos muito seguros: ficamos ali sentados em silêncio, prestando atenção, até que a escada rangeu de novo. Minha voz soou desafinada e falsa quando disse um pouco alto demais:

— Estou feliz por você ter gostado daquela cena das cebolas — e Henry abriu a porta e olhou para dentro. Ele carregava uma bolsa de água quente com uma capa de flanela cinzenta.

— Alô, Bendrix — ele murmurou.

— Você não devia ter vindo apanhar isto sozinho — disse ela.

— Não quis atrapalhá-los.

— Estávamos falando sobre o filme da noite passada.

— Espero que você tenha tudo de que precisa — ele murmurou. Deu uma olhada no clarete que Sarah tinha me servido. — Você deveria ter-lhe dado o "29" — ele cochichou com sua voz muito fraca e tornou a sair, agarrado na bolsa de água quente com sua capa de flanela, e mais uma vez ficamos sozinhos.

— Você se importa? — perguntei e ela negou com a cabeça. Eu não sabia realmente o que eu queria dizer. Acho que tinha a idéia de que a visão de Henry poderia despertar remorsos, mas ela tinha um modo maravilhoso de se descartar do remorso. Ao contrário da maioria, ela não era obcecada pela culpa. Em sua opinião, quando uma coisa estava feita, estava feita: o remorso morria com o ato. Ela teria achado irracional da parte de Henry, caso ele nos tivesse apanhado, ficar zangado por mais de um momento. Dizem que os católicos se livram no confessionário da inalienabilidade do passado — certamente, neste aspecto, ela poderia ser classificada como uma católica nata, embora acreditasse em Deus tão pouco quanto eu. Ou pelo menos assim eu pensava então, e agora não sei mais.

Se este meu livro deixa de seguir um curso reto é porque estou perdido numa estranha região, e não tenho nenhum mapa. Às vezes me pergunto se alguma coisa do que estou escrevendo é verdadeira. Senti naquela tarde uma confiança tão absoluta quando ela me disse, subitamente, sem que eu perguntasse: "Nunca amei alguém ou alguma coisa como amo você." Foi como se, sentada ali na cadeira com metade de um sanduíche na mão, ela estivesse se entregando tão completamente como cinco minutos antes no chão de madeira. A maioria de nós hesita em fazer uma declaração tão total — a gente lembra, a gente prevê, a gente duvida. Ela não tinha dúvida. Só o momento importava. Dizem que a eternidade não é uma extensão de tempo, mas uma ausência de tempo, e, às vezes, me parecia que sua entrega tocava aquele estranho ponto matemático da infinidade, um ponto sem extensão, que não ocupa nenhum espaço. O que importava o tempo — todo o passado e os outros homens que ela pode de tempos em tempos (lá está essa palavra de novo) ter conhecido, ou todo o futuro no qual ela poderia vir a fazer a mesma afirmação com a mesma sensação de verdade? Quando eu respondi que também a amava da mesma maneira, o mentiroso era eu, não ela, porque eu nunca perdi a consciência do tempo, para mim, o presente nunca está aqui: é sempre o ano passado ou a próxima semana.

Ela não estava mentindo nem mesmo quando disse: "Ninguém. Nunca mais." Há contradições no tempo que não existem no ponto matemático. Só isso. Ela tinha muito maior capacidade de amar do que eu — eu não conseguia baixar a cortina em volta do momento, não conseguia esquecer e não conseguia *não* ter medo. Mesmo no momento do amor, eu era como um policial juntando as provas de um crime que ainda não havia sido cometido e, quando, mais de sete anos depois, abri a carta de Parkis, as provas estavam todas lá, na minha memória, para aumentar mais ainda a minha amargura.

2

"CARO SENHOR", DIZIA a carta, "fico feliz em lhe dizer que eu e meu garoto fizemos um contato amigável com a doméstica do número 17. Isto permitiu que a investigação prosseguisse com grande rapidez porque às vezes consigo dar uma espiada na agenda da pessoa em questão e assim saber de seus movimentos. Também inspeciono, dia a dia, o conteúdo da cesta de papéis usados da pessoa em questão, da qual incluo aqui um interessante documento, o qual peço que me devolva com suas observações. A pessoa em questão também mantém um diário e o tem mantido há alguns anos, mas até agora a doméstica — que, de agora em diante, vou passar a tratar como amiga —, por questões de segurança, ainda não foi capaz de conseguir, uma vez que a pessoa em questão mantém o mesmo trancado, o que pode ou não ser uma circunstância suspeita. Além do importante documento anexado aqui, a pessoa em questão parece gastar um bocado de tempo em não cumprir os compromissos anotados na sua agenda, o que deve ser considerado como um subterfúgio por mais que, pessoalmente, não tenha a intenção de subestimar ou desviar uma investigação desta ordem, em que a verdade exata é desejada para o bem de todas as partes."

Nós não somos atingidos apenas pela tragédia: o grotesco também carrega armas, ridículas e sem dignidade. Houve épocas em que tive vontade de enfiar os relatórios confusos, ineficientes e evasivos do Sr. Parkis na sua boca, na presença daquele seu garoto. Era como se na minha tentativa de apanhar Sarah (mas com que propósito? Para ferir Henry ou para ferir a mim mesmo?) eu tivesse deixado um palhaço se intrometer em nossa intimidade. Intimidade. Até esta palavra cheira aos relatórios do Sr. Parkis. Ele escreveu uma vez: "Embora eu não tenha nenhuma evidência direta de ter ocorrido intimidade em Cedar Road 16, a pessoa em questão certamente demonstrou uma intenção de enganar." Mas isto foi mais tarde. Neste relatório, fiquei sabendo apenas que em duas ocasiões, quando Sarah havia anotado horas marcadas com o dentista e a costureira, ela havia faltado a esses compromissos como se eles nunca tivessem existido; ela tinha escapado à perseguição. E então, virando o documento grosseiro do Sr. Parkis, escrito com tinta cor de malva em papel barato, com sua frágil caligrafia, do tipo Waverley, vi a letra clara e atrevida de Sarah. Eu não supunha que a reconheceria depois de quase dois anos.

Era apenas um pedaço de papel pregado no verso do relatório, e marcado com um grande A escrito com lápis vermelho. Sob o A, o Sr. Parkis havia escrito "Importante que toda a evidência documental seja devolvida para arquivamento, tendo em vista o prosseguimento das investigações". O pedaço de papel havia sido resgatado da cesta de papéis e cuidadosamente alisado como que pela mão de um amante. E, certamente, ele fora dirigido a um amante: "Não preciso escrever para você ou falar com você, você sabe de tudo antes que eu fale, mas quando se ama, sente-se a necessidade de usar os mesmos antigos meios que sempre foram usados. Sei que estou apenas começando a amar, mas já quero abandonar tudo e todos, exceto você: apenas o medo e o hábito me impedem. Querido..." Não havia mais nada. Aquilo me encarava audaciosamente, e não pude deixar de pensar que havia esquecido cada linha de todos os bilhetes que ela me havia enviado. Eu não os teria guardado se eles alguma vez tivessem testemunhado tão completamente o seu amor, e, por medo de que eu os guardasse, ela teve sempre, naquela época, o cuidado de me escrever, como ela dizia, "nas entrelinhas". Mas este último amor tinha rompido a gaiola das linhas. Ele havia se recusado a se manter entre elas, fora da vista. Havia uma palavra de código de que eu me lembrava — "cebolas". Essa palavra aparecia na nossa correspondência para representar discretamente a nossa paixão. O amor virou "cebolas", até mesmo o próprio ato do amor. "Já quero abandonar tudo e todos, exceto você", e cebolas, pensei com ódio, cebolas — era assim no meu tempo.

Escrevi "Sem comentários" sob o fragmento de carta, coloquei-o de volta no envelope e enderecei-o ao Sr. Parkis; mas quando acordei durante a noite, consegui recompor tudo para mim mesmo, e a palavra "abandonar" assumiu várias imagens. Eu fiquei deitado, sem conseguir dormir, lembranças contínuas me atormentando com ódio e desejo: seu cabelo espalhado no assoalho e o degrau rangendo, um dia no campo em que nos havíamos deitado numa vala que não se podia ver da estrada, o brilho da geada entre as mechas de cabelo no chão duro, um trator passando no momento crítico e o homem sequer virou a cabeça. Por que será que o ódio não mata o desejo? Eu daria tudo para dormir. Teria me comportado como um colegial se acreditasse na possibilidade de um substituto. Houve uma época em que eu havia tentado achar um substituto, mas não adiantara.

Sou um homem ciumento — parece estúpido escrever essas palavras no que me parece uma longa história de ciúme, ciúme de Henry, ciúme de Sarah e ciúme daquele outro que o Sr. Parkis estava perseguindo tão inabilmente. Agora que tudo isto pertence ao passado, sinto o meu ciúme de Henry apenas quando as lembranças se tornam particularmente vívidas (porque juro que se tivéssemos sido casados, com a sua lealdade e o meu desejo, poderíamos ter sido felizes a vida inteira), mas ainda permanece o ciúme do meu rival — uma palavra melodramática, dolorosamente inadequada para expressar a insuportável complacência, confiança e sucesso de que ele sempre usufrui. Às vezes acho que ele nem mesmo me reconheceria como parte daquele quadro, e sinto um enorme desejo de atrair atenção sobre mim mesmo, de gritar em seu ouvido: "Você não pode me ignorar. Eu estou aqui. O que quer que tenha acontecido depois, Sarah me amava naquele momento."

Sarah e eu costumávamos ter longas discussões a respeito do ciúme. Eu tinha ciúme até do passado, do qual ela me falou francamente quando surgiu a ocasião — os casos que não significaram absolutamente nada (exceto, possivelmente, o desejo inconsciente de encontrar aquele espasmo final que Henry havia, tão lamentavelmente, fracassado em provocar). Ela era tão leal aos amantes quanto a Henry, mas o que me deveria ter trazido algum conforto (porque indubitavelmente ela seria leal a mim também) me encolerizava. Houve uma época em que ela costumava rir da minha raiva, simplesmente recusando-se a acreditá-la genuína, da mesma forma que se recusava a acreditar na própria beleza, e me irritava do mesmo modo porque ela se recusava a ter ciúmes do meu passado ou do meu possível futuro. Recusava-me a acreditar que o amor pudesse tomar qualquer outra forma diferente da minha: eu media o amor pela extensão do meu ciúme, e, por este padrão, é claro que ela não podia me amar.

As discussões sempre tomavam a mesma forma e descrevo apenas uma ocasião em particular porque, nessa ocasião, a discussão terminou em ação — uma ação estúpida que não levou a nada, exceto, talvez, a esta dúvida que sempre me vem quando começo a escrever: a sensação de que, afinal de contas, talvez ela estivesse certa e eu errado.

Lembro-me de ter dito, zangado, "Isto é apenas um remanescente da sua antiga frigidez. Uma mulher frígida nunca sente ciúmes. Você simplesmente ainda não está em dia com as emoções humanas comuns".

Eu me irritava por ela não me fazer qualquer exigência.

— Você pode estar certo. Só estou dizendo que quero que você seja feliz. Detesto que você seja infeliz. Não me importo com nada que você faça que o torne feliz.

— Você só quer uma desculpa. Se eu dormir com outra, você acha que pode fazer o mesmo, sempre que quiser.

— Uma coisa não tem nada a ver com a outra. Quero que você seja feliz, só isso.

— Você faria a cama para mim?

— Talvez.

A insegurança é a pior sensação para dois amantes: às vezes, o casamento mais monótono e destituído de desejo parece preferível. A insegurança torce o sentido das coisas e aniquila a confiança. Numa cidade fortemente sitiada, todo sentinela é um traidor em potencial. Mesmo antes da época do Sr. Parkis, tentava checá-la: eu a apanhava em pequenas mentiras, evasões que nada significavam senão o medo que ela tinha de mim. Pois eu transformava cada mentira numa traição, e mesmo na declaração mais franca enxergava sentidos ocultos. Eu não podia suportar a idéia de que ela sequer tocasse outro homem. Temia isto o tempo todo e via intimidade no movimento mais casual de sua mão.

— Você não prefere que eu seja feliz em vez de infeliz? — ela perguntou com uma lógica insuportável.

— Eu preferia morrer ou ver você morta a ver você com outro homem. Eu não sou excêntrico. Esse é o amor humano comum. Pergunte a qualquer pessoa. Todos dirão o mesmo, se estiverem apaixonados. — Eu zombei dela. — Quem ama sente ciúmes.

Estávamos no meu quarto. Tínhamos ido para lá numa hora segura do dia, um final de tarde de primavera, para fazer amor; excepcionalmente tínhamos muito tempo pela frente. Então estraguei tudo com uma briga e não houve amor a fazer. Ela sentou-se na cama e disse:

— Sinto muito. Não tive a intenção de irritá-lo. Acho que você pode estar certo.

Mas eu não a deixava em paz. Eu a odiava porque queria pensar que ela não me amava: queria tirá-la do meu organismo. Imagino agora qual o ressentimento que eu tinha contra ela, me amasse ela ou não? Ela havia sido leal a mim por cerca de um ano, tinha me proporcionado um bocado de prazer, tinha agüentado meus maus humores, e o que eu lhe havia dado em troca além de um prazer momentâneo? Eu tinha entrado nesta situação com os olhos abertos, sabendo que um dia tudo iria acabar, e no entanto, quando a sensação de insegurança, a crença lógica num futuro sem esperança me chegou na forma de melancolia, passei a atormentá-la sem trégua, como se quisesse que o futuro chegasse naquela hora na minha porta, como uma visita indesejada e prematura. Meu amor e meu medo agiam como consciência. Se acreditássemos em pecado, nosso comportamento não seria muito diferente.

— Você teria ciúmes de Henry? — quis saber.

— Não. Eu não poderia ter. É absurdo.

— Se você visse seu casamento ameaçado...

— Ele nunca ficaria ameaçado — respondeu melancolicamente, e eu tomei as suas palavras como um insulto, saí pela porta afora, desci as escadas e fui para a rua. Será este o fim, pensei, representando para mim mesmo. Não há necessidade de voltar. Se eu puder extirpá-la do meu organismo, será que posso conseguir um casamento tranqüilo que dure para sempre? Então, talvez, eu não sentisse ciúmes porque não amaria o suficiente: sentiria apenas segurança, e minha autopiedade e meu ódio passeariam de mãos dadas pelo Common como dois idiotas sem ninguém a vigiá-los.

Quando comecei a escrever, disse que esta era uma história de ódio, mas não estou certo disto. Talvez meu ódio seja realmente tão deficiente quanto o meu amor. Acabei de levantar os olhos do que escrevia e vi meu próprio rosto no espelho ao lado da escrivaninha, e pensei: será que o ódio realmente se parece com isto? Lembreime daquele rosto que todos nós vimos na infância, mirando-nos de uma vitrina de loja, as feições embaçadas por nossa respiração, enquanto olhávamos com tanto desejo os objetos que não podíamos comprar.

Deve ter sido em maio de 1940 que esta briga aconteceu. A guerra nos tinha ajudado de muitas maneiras, e foi assim que vim quase a considerá-la uma cúmplice vergonhosa e duvidosa do nosso caso.

(Deliberadamente, eu colocava em minha boca o amargor da palavra "caso", com sua sugestão de princípio e fim.) Suponho que a Alemanha, nesta época, já havia invadido os Países Baixos: a primavera, como um cadáver, era doce com o cheiro da ruína, mas nada me importava a não ser dois fatos objetivos: Henry havia sido transferido para a Defesa e trabalhava até tarde, e minha senhoria tinha se mudado para o porão com medo dos bombardeios, e não ficava mais espreitando do andar de cima, debruçada no corrimão, à procura de visitantes indesejáveis. Minha vida não havia sofrido nenhuma alteração por causa do meu defeito (tenho uma perna mais curta do que a outra por causa de um acidente na infância); só quando os bombardeios começaram achei que devia trabalhar como sentinela. Até então, era como se tivesse me desengajado da guerra.

Naquela tarde, quando cheguei em Piccadilly, ainda estava cheio de ódio e desconfiança. Mais do que tudo no mundo eu queria ferir Sarah. Queria levar uma mulher de volta comigo e deitar-me com ela na mesma cama em que fazia amor com Sarah; era como se soubesse que o único meio de feri-la era ferindo a mim mesmo. Nessa hora, já estava escuro e quieto nas ruas, embora no céu sem lua se movessem os feixes luminosos dos holofotes. Não se conseguia ver o rosto das mulheres nas soleiras das portas e nas entradas dos abrigos sem uso. Elas faziam sinais com suas lanternas como vaga-lumes. As lanternas piscavam por todo o caminho até Sackville Street. Imaginei o que Sarah estaria fazendo agora. Teria ido para casa ou estaria esperando que eu voltasse?

Uma mulher acendeu sua lanterna e disse:

— Gostaria de ir para casa comigo, querido? — Eu sacudi a cabeça e continuei a andar. Um pouco mais adiante, uma garota estava conversando com um homem: quando ela iluminou seu rosto para que ele a visse, percebi de relance alguma coisa jovem, morena e feliz ainda não estragada: um animal que ainda não se deu conta da sua prisão. Passei e depois voltei pela rua em direção a eles; quando me aproximei, o homem se afastou e eu disse:

— Você quer uma bebida?

— Você vem para casa comigo depois?

— Vou.

— Eu gostaria de uma bebida rápida.

Fomos para o *pub* que ficava no fim da rua e pedi dois uísques, mas, enquanto ela bebia, eu não podia ver seu rosto no lugar do de Sarah. Ela era mais moça, não devia ter mais de dezenove anos, era mais bonita, poder-se-ia até dizer menos estragada, mas só porque havia muito menos o que estragar; descobri que não desejava sua companhia mais do que a de um cachorro ou de um gato. Ela estava me dizendo que tinha um apartamento simpático numa cobertura poucas casas abaixo: disse-me qual o aluguel que pagava, qual sua idade, onde tinha nascido e que havia trabalhado num café durante um ano. Disse-me que não levava para casa qualquer pessoa que falasse com ela, mas que pôde ver que eu era um cavalheiro. Disse que tinha um canário chamado Jones por causa do cavalheiro que lhe dera a ave. Começou a falar sobre a dificuldade de se conseguir comida de passarinho em Londres. Eu pensei: se Sarah ainda estiver no meu quarto, posso telefonar. Ouvi a garota perguntar se, se eu tivesse um jardim, me lembraria algumas vezes do seu canário. Ela disse:

— Você não se importa que eu pergunte, não é?

Olhando-a por cima do meu uísque, pensei como era estranho não sentir qualquer desejo por ela. Era como se, de repente, depois de todos os anos promíscuos, eu tivesse crescido. Minha paixão por Sarah havia matado para sempre a simples luxúria. Nunca mais eu seria capaz de usufruir de uma mulher sem amor.

No entanto, certamente não era amor o que me trouxera a este *pub*; eu havia dito a mim mesmo durante todo o caminho, desde a praça, que era ódio, como ainda digo a mim mesmo, escrevendo esta história, tentando tirá-la para sempre de minhas entranhas, pois sempre disse a mim mesmo que se ela morresse eu poderia esquecê-la.

Saí do *pub*, deixando a garota com o uísque e uma nota de uma libra para acalmar o seu orgulho, e subi a Burlington Street até encontrar uma cabina telefônica. Não tinha lanterna comigo e tive de riscar um fósforo atrás do outro até acabar de discar o meu número. Ouvi o telefone chamando; imaginei o local onde ele ficava em minha escrivaninha, sabendo exatamente quantos passos Sarah teria que dar para alcançá-lo, se ela estivesse sentada numa cadeira ou deitada na cama. Mesmo assim, deixei que ele tocasse no quarto vazio por meio minuto. Então, telefonei para sua casa e a empregada me disse que ela ainda não havia chegado. Imaginei-a andando pela praça durante o *black-out* — não era um lugar muito seguro naqueles dias — e, olhando para o meu relógio, pensei que se não tivesse sido um idiota, teríamos tido três horas juntos. Fui para casa sozinho e tentei ler um livro, mas o tempo todo pensava no telefone, que não tocou. Meu orgulho impediu-me de tornar a telefonar. Finalmente, fui para a cama e tomei uma dose dupla de pílulas para dormir, de modo que a primeira coisa de que me dei conta foi a voz de Sarah no telefone, de manhã, falando comigo como se nada tivesse acontecido. Foi de novo uma perfeita paz até eu desligar o telefone, quando, imediatamente, o demônio no meu cérebro despertou a idéia de que o desperdício daquelas três horas nada significara para ela.

Nunca entendi por que pessoas que conseguem engolir a enorme improbabilidade de um Deus pessoal se assustam com um Demônio pessoal. Conheço muito intimamente o modo de este demônio trabalhar na minha imaginação. Nenhuma declaração que Sarah jamais tenha feito serviu de prova contra suas dúvidas astutas, embora ele geralmente as expressasse depois de ela ter partido. Ele instigava nossas brigas muito antes de elas ocorrerem: ele não era propriamente inimigo de Sarah, mas inimigo do amor. E não é isto que o demônio deve ser? Imagino que, caso houvesse um Deus que amasse, o demônio seria levado a destruir até mesmo a imitação mais fraca e mais imperfeita deste amor. Ele teria medo de que o hábito do amor pudesse crescer, e tentaria preparar armadilhas para nos tornar traidores, para levar-nos a ajudá-lo a acabar com o amor. Se há um Deus que nos usa, que faz seus santos com o mesmo material de que somos feitos, o demônio também pode ter suas ambições; ele pode sonhar em treinar até uma pessoa como eu, ou o pobre Parkis, para serem seus santos, prontos para destruir o amor onde quer que o encontrem, com um fanatismo incomum.

3

Aснеı QUE NO PRÓXIMO relatório de Parkis poderia detectar um autêntico entusiasmo pelo jogo do diabo. Finalmente, ele tinha farejado o amor e estava seguindo sua pista, com o garoto, como um cão de caça. Tinha descoberto onde Sarah estava passando seu tempo: mais do que isto, sabia com certeza que as visitas eram clandestinas. Eu tinha que admitir que o Sr. Parkis mostrou ser um detetive astuto. Ele tinha conseguido, com a ajuda do filho, atrair a empregada dos Miles para o exterior da casa no momento em que a "pessoa em questão" estivesse descendo Cedar Road em direção ao número 16. Sarah parou e falou com a empregada, que estava de folga, e esta a apresentou ao jovem Parkis. Sarah continuou e virou a esquina seguinte, onde o próprio Parkis a estava esperando. Ele a viu caminhar um pouco adiante e depois voltar. Quando ela percebeu que a empregada e o jovem Parkis não estavam mais à vista, tocou a campainha do número 16. O Sr. Parkis, então, começou a checar os moradores do número 16. Isto não era fácil, pois a casa era dividida em apartamentos, e ele não sabia ainda qual das três campainhas Sarah havia tocado. Prometeu-me um relatório final dentro de poucos dias. Tudo o que ele tinha a fazer, quando Sarah tornasse a ir naquela direção, era chegar antes dela e cobrir as três campainhas de talco. "Não há, é claro, exceto o documento A, nenhuma prova de prevaricação por parte da pessoa em questão. Se para o peso destes relatórios tais provas forem exigidas com vistas a um processo legal, talvez seja necessário seguir a pessoa até o apartamento, após um intervalo suficiente. Será necessária uma segunda testemunha que possa identificar a pessoa em questão. Não é preciso surpreender a pessoa em pleno ato; uma desarrumação das roupas e certa agitação poderiam ser suficientes para a Corte."

O ódio é muito parecido com o amor físico: tem suas crises e seus períodos de calma. Pobre Sarah, pensei ao ler o relatório de Parkis, porque eu havia atingido o orgasmo do meu ódio e agora estava satisfeito. Podia sentir pena dela, encurralada como estava. Ela não tinha cometido nenhum crime exceto amar, mas aqui estavam Parkis e o filho, observando cada um de seus movimentos, confabulando com sua empregada, pondo talco em campainhas, planejando irromper violentamente talvez na única paz de que ela desfrutasse atualmente. Tive uma certa vontade de rasgar o relatório e interromper a investigação. Talvez o tivesse feito se, no clube desanimado que freqüentava, não tivesse aberto um *Tatler* e visto uma fotografia de Henry. Henry agora era um homem bem-sucedido: nos últimos *Birthday Honours**ele tinha recebido uma comenda da Ordem do Império Britânico pelos serviços prestados ao ministério; fora indicado para presidente de uma Comissão Real; e ali estava ele, na noite de gala de um filme britânico chamado *The Last Siren*, pálido e com os olhos arregalados pelo *flash* da máquina, de braço dado com Sarah. Ela baixara a cabeça para escapar do *flash*, mas reconheci aquele cabelo encaracolado que resistia aos dedos. Subitamente, senti vontade de tocá-la, no cabelo da cabeça e no cabelo íntimo, quis que ela estivesse deitada ao meu lado, quis poder virar a cabeça no travesseiro e lhe falar, quis sentir seu cheiro quase imperceptível e o gosto de sua pele, e ali estava Henry, olhando para a câmera do repórter, com a segurança e a complacência de um chefe de departamento.

---

*Títulos honoríficos concedidos pelo rei da Inglaterra no dia do seu aniversário. *(N. da T.)*

Sentei-me sob uma cabeça de veado oferecida por Sir Walter Besant em 1898 e escrevi para Henry. Tinha uma coisa importante para discutir com ele e gostaria que ele almoçasse comigo. Ele poderia escolher qualquer dia da semana seguinte. Era típico de Henry que me telefonasse prontamente e sugerisse que eu almoçasse com ele — nunca conheci um homem que se sentisse tão mal em ser convidado. Não me lembro exatamente qual foi sua desculpa, mas ela me irritou. Acho que ele disse que seu clube tinha um vinho do Porto particularmente bom, mas a verdadeira razão era o fato de que dever favores o desagradava — mesmo o pequeno favor de uma refeição gratuita. Mal sabia ele o quanto este favor seria pequeno. Ele havia escolhido um sábado e neste dia o meu clube fica praticamente vazio. Os jornalistas diários não têm o que fazer, os inspetores escolares vão para casa, em Bromley ou Streatham, e não sei exatamente o que acontece neste dia com o clero — talvez fique em casa preparando seus sermões. Quanto aos autores (para os quais o clube foi fundado), quase todos estão pendurados na parede — Conan Doyle, Charles Garvice, Stanley Weyman, Nat Gould, com um ou outro rosto mais ilustre e conhecido: os vivos podem-se contar nos dedos. Sempre me senti em casa no clube porque é tão pouco provável encontrar-se um colega escritor.

Henry escolheu um filé à Viena — era um sinal de sua inocência. Estou certo de que ele não fazia a menor idéia do que estava pedindo e esperava algo como um *Wiener Schnitzel*. Atuando fora do seu ambiente, ele estava muito pouco à vontade para comentar a respeito do prato, e não sei como conseguiu engolir aquela mistura ensopada e cor-de-rosa. Lembrei-me de sua aparência pomposa diante das câmeras e nem tentei alertá-lo quando o vi escolher *Cabinet Pudding*. Durante a horrível refeição (o clube naquele dia se superou) conversamos rebuscadamente a respeito de nada. Henry fez o possível para dar uma aparência de sigilo de Gabinete aos procedimentos de uma Comissão Real que diariamente eram relatados pela imprensa. Fomos tomar café no salão e estávamos inteiramente sozinhos ao lado do fogo, no meio de um desperdício de sofás pretos de crina. Pensei em como os chifres pendurados pelas paredes se adequavam à situação, e apoiando meus pés no guarda-fogo antiquado, prendi Henry firmemente em seu canto. Mexi o meu café e disse:

— Como vai Sarah?

— Muito bem — Henry respondeu evasivamente. Provou seu porto com cuidado e desconfiança: ele não tinha esquecido o filé à Viena.

— Você ainda está preocupado? — perguntei a ele.

Ele desviou o olhar tristemente.

— Preocupado?

— Você *estava* preocupado. Você me disse que estava.

— Não me lembro. Ela está muito bem — explicou debilmente, como se eu estivesse me referindo à saúde dela.

— Você chegou a consultar aquele detetive?

— Eu esperava que você tivesse esquecido isto. Eu não estava bem, você sabe. Havia esta Comissão Real sendo preparada. Eu estava estafado.

— Você se lembra que me ofereci para procurá-lo em seu lugar?

— Devíamos estar os dois um pouco estafados. — Ele olhou para os velhos chifres pendurados na parede, forçando os olhos para ler o nome do doador. Disse estupidamente: — Vocês parecem ter um bocado de cabeças. — Eu não o deixaria escapar e disse:

— Fui procurá-lo alguns dias depois.

Ele pousou o copo e disse:

— Bendrix, você não tinha absolutamente o direito...

— Eu estou pagando todas as despesas.

— É uma ousadia infernal. — Ele se levantou, mas eu o tinha encurralado num canto de onde não podia sair sem um ato de violência, e a violência não fazia parte da personalidade de Henry.

— Sem dúvida, você gostaria de vê-la inocentada — eu disse.

— Não há nada para inocentar. Eu quero sair, por favor.

— Acho que você devia ler os relatórios.

— Não tenho a menor intenção...

— Então acho que vou ter que ler para você o pedaço que trata das visitas clandestinas. A carta de amor que ela escreveu eu devolvi aos detetives para ser arquivada. Meu caro Henry, você foi enganado direitinho.

Eu realmente pensei que ele fosse me bater. Se ele o tivesse feito, teria revidado com prazer, teria acertado este idiota a quem Sarah havia permanecido, a seu modo, tão estupidamente leal por tantos anos mas, naquele momento, o secretário do clube entrou. Era um homem com uma longa barba cinzenta e um colete manchado de sopa, que parecia um poeta vitoriano mas que, de fato, escrevia pequenas tristes reminiscências dos cachorros que havia conhecido (*For Ever Fido* havia sido um grande sucesso em 1912).

— Ah, Bendrix — ele disse —, eu não o vejo aqui há muito tempo.

Eu o apresentei a Henry e ele disse com a rapidez de um cabeleireiro:

— Eu tenho acompanhado os relatórios diariamente.

— Que relatórios? — Pela primeira vez, o trabalho de Henry não havia sido a primeira coisa a lhe vir à mente ao ouvir aquela palavra.

— Da Comissão Real.

Quando ele finalmente se retirou, Henry disse:

— Agora, faça o favor de dar-me os relatórios e me deixar passar.

Imaginei que ele tivesse refletido enquanto o secretário estava conosco, e entreguei-lhe o último relatório. Ele o atirou imediatamente no fogo e lá o manteve com o atiçador. Não pude deixar de ver dignidade naquele gesto.

— O que você vai fazer? — perguntei.

— Nada.

— Você não se livrou dos fatos.

— Para o inferno com os fatos — disse Henry. Nunca o tinha visto praguejar antes.

— Eu posso arranjar-lhe uma cópia.

— Você quer me deixar sair agora? — perguntou. O demônio tinha feito o seu trabalho, senti-me vazio de veneno. Abaixei as pernas e deixei Henry passar. Ele foi direto para fora do clube, esquecendo o chapéu, aquele chapéu preto alto que eu tinha visto vir pingando pelo Common há o que parecia uma eternidade e não algumas semanas atrás.

4

ACHEI QUE IA alcançá-lo ou pelo menos avistá-lo no longo trecho de Whitehall, e então levei o chapéu dele comigo. Mas não o avistei. Fiz a volta, sem saber aonde ir. O pior atualmente é que tenho tempo demais. Dei uma olhada na pequena livraria próxima à Estação de Charing Cross e imaginei se Sarah, neste momento, estaria pondo a mão na campainha cheia de talco em Cedar Road, com o Sr. Parkis esperando na esquina. Se pudesse fazer o tempo andar para trás, acho que o teria feito: teria deixado Henry passar por mim, cego pela chuva. Mas começo a duvidar de que qualquer coisa que eu faça seja capaz de alterar o curso dos acontecimentos. Henry e eu somos aliados agora, à nossa maneira, mas seremos aliados contra uma corrente infinita?

Atravessei a rua, passei pelos vendedores de frutas e entrei em Victoria Gardens. Não havia muita gente sentada nos bancos com aquele tempo cinzento e ventoso, e quase imediatamente vi Henry, mas levei alguns momentos para reconhecê-lo. Ao ar livre, sem chapéu, ele parecia fazer parte dos anônimos e pobres, pessoas que vinham dos subúrbios mais humildes e que ninguém conhecia — o velho que alimentava os pardais, a mulher com um saco de papel marcado Swan & Edgar's. Ele estava sentado com a cabeça baixa, fitando os sapatos. Tenho sentido pena de mim mesmo há tanto tempo, e tão exclusivamente, que me pareceu estranho sentir pena de meu inimigo. Coloquei o chapéu, silenciosamente, ao seu lado no banco e ia me afastar, mas ele levantou os olhos e vi que havia chorado. Ele deve ter viajado para muito longe. As lágrimas pertencem a um mundo diferente das Comissões Reais.

— Sinto muito, Henry — eu disse. Como a gente acredita facilmente que pode se livrar da culpa com um pedido de desculpas.

— Sente-se — Henry ordenou com a autoridade das suas lágrimas e eu obedeci. Ele continuou: — Eu estive pensando. Vocês dois foram amantes, Bendrix?

— Por que você imagina...

— É a única explicação.

— Eu não sei do que você está falando.

— É a única desculpa, Bendrix. Você não está vendo que o que fez é monstruoso? — Enquanto ele falava, virou o chapéu ao contrário e verificou o nome do fabricante. — Suponho que você me ache um tremendo idiota, Bendrix, por não ter adivinhado. Por que ela não me deixou?

Será que eu precisava instruí-lo a respeito do caráter da sua própria esposa? O veneno estava começando a fazer efeito novamente.

— Você tem uma boa renda. Você é um hábito que ela formou. Você significa segurança — eu disse.

Ele ouviu com atenção e seriedade, como se eu fosse uma testemunha prestando depoimento, sob juramento, perante a Comissão. Prossegui, com amargura:

— Você não foi um empecilho maior para nós do que havia sido para os outros.

— E houve outros?

— Às vezes eu achava que você sabia de tudo e não se importava. Às vezes eu desejava contar tudo a você, como estou fazendo agora que é tarde demais. Eu queria dizer-lhe o que pensava de você.

— E o que você pensava?

— Que você servia de alcoviteiro para ela. Serviu de alcoviteiro com relação a mim e aos outros, e agora está servindo para o último. O eterno alcoviteiro. Por que você não se zanga, Henry?

— Eu nunca soube.

— Você serviu de alcoviteiro com sua ignorância, por não ter aprendido nunca como fazer amor com ela, de modo que ela teve que procurar em outro lugar. Você serviu de alcoviteiro oferecendo oportunidades... Por ser um chato e um idiota; então, agora, alguém que não é chato nem idiota está se divertindo com ela em Cedar Road.

— Por que ela deixou você?

— Porque eu também sou um chato e um idiota. Mas eu não nasci assim, Henry. Você me criou. Ela não queria deixá-lo, então eu me tornei um chato, chateando-a com queixas e ciúmes.

— As pessoas dão muito valor a seus livros — ele disse.

— E elas dizem que você é um presidente de primeira classe. Que diabo importa o nosso trabalho?

Ele respondeu tristemente:

— Eu não sei mais o que importa.

Olhava para as nuvens cinzentas que passavam sobre a margem sul. As gaivotas voavam baixo sobre as barcaças e a torre de tiro se destacava, negra, sob a claridade do inverno, entre os armazéns em ruínas. O homem que dava comida aos pardais tinha ido embora, bem como a mulher com o embrulho de papel pardo, os vendedores de frutas gritavam como animais, do lado de fora da estação. Era como se cortinas estivessem sendo erguidas sobre o mundo todo: logo, seríamos todos abandonados aos nossos próprios desejos.

— Eu ficava imaginando por que você tinha passado todo esse tempo sem aparecer — Henry disse.

— Eu acho que, de um certo modo, nós tínhamos chegado ao fim do amor. Não havia mais nada que pudéssemos fazer juntos. Ela podia fazer compras, cozinhar e dormir com você, mas comigo ela só podia fazer amor.

— Ela gosta muito de você — ele disse, como se fosse seu dever consolar a *mim*, como se os meus olhos é que estivessem vermelhos de chorar.

— A gente não se satisfaz com gostar.

— Eu estava satisfeito.

— Eu queria que o amor aumentasse cada vez mais, não diminuísse nunca... — Eu jamais havia falado assim com ninguém, exceto com Sarah, mas a resposta de Henry não foi a de Sarah. Ele disse:

— Isto não está de acordo com a natureza humana. A pessoa tem que se satisfazer...

Mas isto não era o que Sarah havia dito e, sentado ali, ao lado de Henry, em Victoria Gardens, vendo o dia morrer, eu recordei aquele fim de caso.

5

ELA ME HAVIA DITO (foram praticamente as últimas palavras que ouvi dela antes que entrasse pingando no vestíbulo, chegando do seu encontro): "Você não precisa ficar assustado. O amor não acaba. Só porque nós não nos vemos..." Ela já havia quase tomado sua decisão, embora eu só fosse saber disto no dia seguinte, quando o telefone mostrou apenas a boca aberta e silenciosa de alguém que é encontrado morto. Ela disse:

— Meu querido, as pessoas continuam amando a Deus durante toda a vida sem vê-lo, não é?

— Este não é o nosso tipo de amor.

— Eu às vezes não acredito que exista algum outro tipo.

Acho que deveria ter visto que ela já estava sob a influência de um estranho — nunca havia falado assim quando começamos a nos encontrar. Nós tínhamos concordado alegremente em eliminar Deus do nosso mundo. Enquanto eu acendia a lanterna cuidadosamente para iluminar seu caminho através do vestíbulo arruinado, ela tornou a dizer:

— Tudo tem que dar certo. Se amarmos o suficiente.

— Não posso me esforçar mais. Você tem tudo.

— Você não sabe — disse ela. — Você não sabe.

O vidro das janelas se esmigalhava sob nossos pés. Só o velho vitral vitoriano sobre a porta havia se mantido firme. O vidro ficou esbranquiçado nos lugares em que estilhaçou, como o gelo que as crianças quebram no campo molhado ou ao longo das ruas. Ela me disse outra vez: "Não fique assustado." Sabia que ela não estava se referindo àquelas armas novas e desconhecidas que ainda, depois de cinco horas, continuavam a zumbir sem parar, como abelhas.

Foi a primeira noite do que, mais tarde, foi chamado de VIS, em junho de 1944. Nós estávamos desacostumados aos bombardeios aéreos. Além de um curto período em fevereiro de 1944, nada tinha acontecido desde que a guerra-relâmpago se esgotou com os grandes bombardeios finais de 1941. Quando as sirenes começaram a tocar e as bombas surgiram, achamos que alguns aviões haviam penetrado em nossa defesa noturna. Houve um certo ressentimento quando não soou o aviso do fim do perigo depois de uma hora. Lembro-me de ter dito a Sarah: "Eles devem estar relaxando. Têm muito pouco a fazer." Neste momento, deitados no escuro, em minha cama, vimos nossa primeira bomba. Ela passou baixo, através do Common; pensamos que fosse um avião pegando fogo e confundimos o zumbido estranho e profundo com o som de uma máquina descontrolada. Veio uma segunda e depois uma terceira. Nós então mudamos de idéia sobre nossas defesas.

— Eles os estão acertando como pombos — eu disse. — Devem estar loucos para continuar. — Mas eles continuaram, hora após hora, mesmo depois que o dia começou a nascer, até que percebemos que aquilo era algo de novo.

Tínhamos acabado de nos deitar quando o bombardeio começou. Não fez nenhuma diferença. A morte nunca nos importou naquela época — no início eu até costumava rezar por ela: o extermínio esmagador que impediria para sempre o levantar, o vestir-se, ver sua lanterna atravessando o Common como se fosse a lanterna traseira de um carro que passa lentamente. Imagino às vezes se a eternidade não poderia existir afinal de contas, como o prolongamento infinito do momento da morte, e aquele era o momento que eu teria escolhido, que ainda escolheria se ela fosse viva, o momento de absoluta confiança e de absoluto prazer, o momento em que era impossível brigar porque era impossível pensar. Queixei-me de sua cautela e comparei, com amargura, o nosso uso da palavra "cebolas" com o fragmento de carta que o Sr. Parkis havia recolhido, mas ler a mensagem dela para o meu sucessor desconhecido teria doído menos se eu não soubesse o quanto ela era capaz de se entregar. Não, as bombas não nos afetaram até que o ato de amor estivesse terminado. Eu tinha gasto tudo o que tinha e estava deitado de costas com a cabeça em seu estômago; seu gosto — leve e indefinível como água — em minha boca, quando uma das bombas explodiu no Common e nós ouvimos vidros se partindo um pouco mais abaixo, no lado sul.

— Acho que devíamos ir para o porão — eu disse.

— Sua senhoria está lá. Não posso enfrentar outras pessoas.

Depois da posse vem a ternura da responsabilidade, em que a gente esquece que é apenas um amante, responsável por nada. Eu disse:

— Ela pode ter saído. Vou até lá para ver.

— Não vá. Por favor, não vá.

— Só vou levar um instante. — Era uma expressão que continuávamos a usar, embora soubéssemos que, naqueles dias, um instante poderia significar toda a eternidade. Vesti o roupão e apanhei a lanterna. Mas nem era preciso: o céu agora estava cinzento e, no quarto escuro, eu podia ver o contorno do seu rosto.

— Vá depressa — ela pediu.

Enquanto descia as escadas correndo, ouvi a próxima bomba se aproximando e, em seguida, o súbito silêncio angustiante quando o motor é cortado. Nós ainda não havíamos aprendido que aquele era o momento de risco, em que se deve deitar no chão, longe do alcance dos vidros. Não cheguei a ouvir a explosão e acordei cinco segundos ou cinco minutos mais tarde, num outro mundo. Pensei que ainda estivesse em pé e fiquei intrigado com a escuridão: parecia que alguém passava uma mão fria no meu rosto e minha boca estava com gosto de sangue. Minha mente, por alguns momentos, ficou totalmente vazia, apenas uma sensação de cansaço, como se eu estivesse voltando de uma longa viagem. Não tinha nenhuma lembrança de Sarah e estava totalmente livre de ansiedade, ciúme, insegurança, ódio: minha mente era uma página em branco em que alguém tinha estado a ponto de escrever uma mensagem de felicidade. Tive a certeza de que, quando a memória voltasse, alguém iria continuar a escrever e eu me sentiria feliz.

Mas quando a memória voltou, não foi assim. Percebi, primeiro, que estava deitado de costas e o que estava se balançando sobre mim, tapando a luz, era a porta da frente: algum outro escombro a estava mantendo alguns centímetros acima do meu corpo, embora, estranhamente, eu tenha visto mais tarde que estava roxo dos ombros até os joelhos, como se machucado pela sombra da porta. A mão que segurava meu rosto era a maçaneta, e ela me havia arrancado alguns dentes. Depois disto, é claro, lembrei-me de Sarah e de Henry e do pavor de o amor terminar.

Saí de sob a porta e sacudi minhas roupas. Gritei em direção ao porão, mas não havia ninguém. Através do portal destroçado, pude ver a luz cinzenta da manhã e tive a sensação de um grande vazio do lado de fora do vestíbulo em ruínas: percebi que uma enorme árvore que bloqueava a luz tinha simplesmente deixado de existir — não havia nem mesmo sinal de um tronco caído. Eu podia ouvir, bem ao longe, o apito dos sentinelas. Subi as escadas. O primeiro lance havia ficado sem o corrimão e estava coberto de reboco, mas a casa não tinha realmente sofrido muito, segundo os padrões da época; nossos vizinhos tinham sido atingidos em cheio pela explosão. A porta do meu quarto estava aberta e, do corredor, pude ver Sarah; ela havia saído da cama e estava agachada no chão — com medo, eu acho. Parecia absurdamente jovem, como uma criança nua. Eu disse:

— Esta foi perto.

Ela se virou rapidamente e me encarou, assustada. Eu não tinha percebido que meu roupão estava rasgado e todo sujo de reboco; meu cabelo estava branco e havia sangue na minha boca e no meu rosto.

— Oh, Deus — ela disse. — Você está vivo.

— Você parece desapontada.

Ela se levantou do chão e apanhou suas roupas.

— Não tem sentido você sair agora — eu lhe disse. — Em pouco tempo deve vir um aviso de que passou o perigo.

— Eu tenho que ir — ela disse.

— Duas bombas nunca caem no mesmo lugar — eu disse, mas foi automático, pois isto não passava de uma lenda, freqüentemente desmentida.

— Você está ferido.

— Perdi dois dentes. Só isso.

— Venha até aqui, deixe-me lavar seu rosto. — Ela já havia acabado de se vestir antes que eu tivesse tempo de tornar a protestar. Nenhuma outra mulher que conheci se vestia tão depressa. Lavou meu rosto bem devagar e com muito cuidado.

— O que você estava fazendo no chão? — perguntei.

— Rezando.

— Para quem?

— Para o que quer que exista.

— Teria sido mais prático descer. — A seriedade dela me assustava. Eu queria provocá-la.

— Eu desci — ela respondeu.

— Eu não ouvi você.

— Não havia ninguém. Eu não pude ver você, até que vi seu braço estendido por baixo da porta. Pensei que você estivesse morto.

— Você podia ter tentado me tirar de lá.

— Eu tentei, mas não consegui levantar a porta.

— Havia espaço para me mover. A porta não estava me prendendo. Eu teria acordado.

— Eu não entendo. Eu sabia, com certeza, que você estava morto.

— Então não havia muito pelo que rezar, havia? — eu zombei.

— Exceto por um milagre.

— Quando se está muito desamparada — ela disse —, pode-se rezar por milagres. Eles acontecem para os pobres, e eu estava pobre.

— Fique até darem o sinal de que passou o perigo. — Ela sacudiu a·cabeça e saiu do quarto. Eu a segui pelas escadas e comecei a atormentá-la, contra a minha vontade. — Vou ver você esta tarde?

— Não. Eu não posso.

— Alguma hora amanhã...

— Henry vai voltar.

Henry, Henry, Henry — aquele nome soava como um sino de finados pelo nosso relacionamento, abafando cada momento de alegria, divertimento ou satisfação, fazendo lembrar que o amor acaba, que a afeição e o hábito sempre saem vencedores.

— Você não precisa ficar tão assustado — ela disse. — O amor não acaba... — e quase dois anos se passaram antes daquele encontro no vestíbulo e... — Você?

6

DURANTE VÁRIOS DIAS, depois disto, é claro que ainda tive esperança. Foi só uma coincidência que ninguém atendesse ao telefone, e quando, uma semana depois, encontrei a empregada e perguntei pelos Miles e soube que ela havia ido para o campo, disse a mim mesmo que, em tempo de guerra, as cartas podem se extraviar. Todas as manhãs ouvia o barulho da caixa do correio e ficava lá em cima, de propósito, até a senhoria levar minha correspondência. Não olhava as cartas — a decepção tinha que ser adiada e a esperança mantida viva o máximo de tempo possível; lia uma carta de cada vez e só quando chegava ao final da pilha é que tinha a certeza de que não havia nada de Sarah. Então a vida parava até o correio das quatro horas, e depois disto era preciso atravessar mais uma noite.

Durante quase uma semana não escrevi para ela: o orgulho me impediu, até que, uma manhã, eu o deixei completamente de lado, escrevendo com ansiedade e amargura, marcando o envelope endereçado à parte norte com "Urgente" e "Favor remeter". Não recebi nenhuma resposta e então perdi as esperanças e lembrei-me exatamente do que ela me havia dito: "As pessoas continuaram a amar a Deus a vida inteira sem vê-lo, não é?" Pensei, com ódio: ela tem sempre que fazer uma boa imagem de si própria: mistura religião com deserção para parecer nobre a si mesma. Ela não vai admitir que agora prefere ir para a cama com X.

Este foi o pior período de todos: minha profissão é imaginar, pensar com imagens: cinqüenta vezes por dia e sempre que acordava durante a noite, uma cortina subia e a peça começava: sempre a mesma peça: Sarah fazendo amor, Sarah com X, fazendo as mesmas coisas que havíamos feito juntos, Sarah beijando do seu jeito especial, arqueando-se na hora do sexo e dando aquele grito que parecia de dor, Sarah se entregando. Eu tomava pílulas à noite para dormir depressa, mas nunca encontrei nenhuma pílula que me fizesse dormir até de manhã. Só as bombas eram uma distração durante o dia: durante alguns segundos, entre o silêncio e a explosão, minha mente ficava livre de Sarah. Três semanas se passaram e as imagens estavam tão claras e freqüentes como no início. Parecia não haver razão para que elas se extinguissem, e comecei a pensar seriamente em suicídio. Cheguei a marcar uma data e economizei as minhas pílulas para dormir com um sentimento quase de esperança. Eu não precisava, afinal de contas, continuar assim indefinidamente, disse a mim mesmo. A data chegou, a peça continuou e não me matei. Não foi covardia: foi uma lembrança que me impediu — a lembrança do olhar de decepção em seu rosto quando entrei no quarto depois que a bomba caiu. Ela não teria, bem no fundo, desejado que eu tivesse morrido, para que seu novo caso com X incomodasse menos a sua consciência, pois ela tinha uma espécie de consciência primária? Se me matasse agora, ela não teria que se preocupar comigo de jeito nenhum, e, sem dúvida, depois dos nossos quatro anos juntos, deveria haver momentos de preocupação, mesmo com X. Eu não lhe daria esta satisfação. Se eu soubesse como, aumentaria suas preocupações até torná-las insuportáveis, mas minha impotência me irritava. Como eu a odiei.

É claro que existe um fim para o ódio assim como existe um fim para o amor. Depois de seis meses, percebi que não havia pensado nela durante um dia inteiro e que tinha me sentido feliz. Não pode ter sido o final do ódio, pois na mesma hora entrei numa papelaria para comprar um cartão-postal e escrever uma mensagem eufórica que poderia — quem sabe? — causar uma dor momentânea. Mas quando acabei de endereçá-lo já tinha perdido a vontade de ferir e joguei-o fora. É estranho que o ódio tenha revivido depois daquele encontro com Henry. Lembro-me de ter pensado, ao abrir o relatório seguinte do Sr. Parkis, como seria bom se o amor também pudesse reviver assim.

O Sr. Parkis tinha feito um bom trabalho: o talco tinha funcionado e o apartamento tinha sido localizado — o apartamento do último andar da Cedar Road 16: os ocupantes eram uma Srta. Smythe e o irmão, Richard. Imaginei se a Srta. Smythe seria uma irmã tão conveniente quanto Henry. Todo o meu esnobismo latente foi despertado pelo nome — aquele *y*, o *e* final. Eu pensei: será que ela desceu tão baixo a ponto de arranjar um Smythe em Cedar Road? Seria ele o último de uma longa sucessão de amantes nos últimos dois anos ou quando o visse (e estava determinado a vê-lo de uma forma menos obscura do que no relatório do Sr. Parkis) estaria olhando para o homem por quem ela me havia abandonado em junho de 1944?

— Devo apertar a campainha, entrar e encará-lo como um marido ofendido? — perguntei ao Sr. Parkis (que havia marcado um encontro comigo num boliche — a sugestão fora dele, pois estava com o filho e não podia levá-lo a um bar).

— Sou contra esta idéia — disse o Sr. Parkis, acrescentando uma terceira colher de açúcar ao seu chá. O filho estava sentado numa mesa de onde não nos podia ouvir, com um copo de laranjada e um pãozinho. Observava todos que entravam, sacudindo a neve dos casacos e chapéus, observava com os seus olhos castanhos redondos e alerta, como se mais tarde tivesse que escrever um relatório, e talvez tivesse, como parte do treinamento do Sr. Parkis. — O senhor sabe, a menos que o senhor esteja disposto a testemunhar, isto vai complicar as coisas no tribunal.

— Isto nunca vai chegar ao tribunal.

— Um ajuste amigável?

— Uma falta de interesse — eu disse. — Não se pode criar um caso por causa de um homem chamado Smythe. Eu só quero vê-lo. É tudo.

— Mais seguro seria o senhor se disfarçar de medidor de gás.

— Não posso usar um capacete pontudo.

— Compreendo seus sentimentos. É uma coisa que tento evitar. E gostaria que o garoto também evitasse quando chegar sua vez.

Seus olhos tristes seguiam cada movimento que o filho fazia.

— Ele queria um sorvete, mas eu disse que não, não com esse tempo — e estremeceu um pouco como se a idéia de um sorvete o tivesse enregelado. Por um instante, não tive a mínima idéia do que ele estava querendo dizer, até que ele falou: — Toda profissão tem sua dignidade, senhor.

— Você me empresta seu filho? — perguntei.

— Se o senhor me assegurar de que não haverá nada de desagradável — respondeu, meio em dúvida.

— Não vou entrar quando a Sra. Miles estiver lá. Esta cena terá um certificado da Universal.

— Mas por que o garoto?

— Vou dizer que ele está se sentindo mal, que fomos ao endereço errado. Eles terão de deixá-lo descansar um pouco.

— Isto se enquadra nas possibilidades do garoto — admitiu o Sr. Parkis, com orgulho —, e ninguém é capaz de resistir ao Lance.

— Ele se chama Lance?

— Por causa de Sir Lancelot, senhor. Da Távola Redonda.

— Estou surpreso. Aquele episódio foi, sem dúvida, bastante desagradável.

— Ele encontrou o Santo Graal — o Sr. Parkis disse.

— Este foi Galahad. Lancelot foi encontrado na cama com

Guinevere. — Por que temos este desejo de provocar os inocentes? Será inveja? O Sr. Parkis disse tristemente, olhando o filho como se o tivesse traído:

— Eu não sabia.

No dia seguinte — para contrariar o pai — dei um sorvete ao garoto em High Street, antes de irmos para Cedar Road. Henry Miles estava dando um coquetel — assim tinha dito o Sr. Parkis, e o caminho estava livre. Ele me entregou o garoto, depois de ajeitar suas roupas. O menino estava usando suas melhores roupas por causa de sua primeira apresentação a um cliente, enquanto eu estava usando as minhas piores. Um pouco de sorvete de morango caiu da colher e manchou seu terno. Fiquei sentado em silêncio até que ele tivesse tomado a última gota. Então perguntei:

— Outro? — Ele assentiu com a cabeça. — De morango outra vez?

— Baunilha — ele disse e acrescentou, bastante tempo depois:
— Por favor.

Tomou o segundo sorvete com grande empenho, lambendo cuidadosamente a colher como se estivesse removendo impressões digitais. Depois andamos de mãos dadas pelo Common até Cedar Road como se fôssemos pai e filho. Nem Sarah nem eu temos filhos, pensei. Não teria mais sentido casar e ter filhos, viver tranqüilamente, juntos, numa paz doce e sem graça, do que este negócio furtivo de desejo, ciúme e relatórios de Parkis?

Toquei a campainha do último andar de Cedar Road e disse ao menino:

— Lembre-se, você está se sentindo mal.

— Se eles me derem um sorvete... — ele começou: Parkis o havia treinado a se antecipar aos fatos.

— Eles não vão dar.

Presumi que quem abriu a porta era a Srta. Smythe — uma mulher de meia-idade, com o cabelo de um cinza cansado de bazares de caridade. Eu disse:

— O Sr. Wilson mora aqui?

— Não, eu acho...

— A senhora sabe, por acaso, se ele mora no andar de baixo?

— Não mora ninguém aqui chamado Wilson.

— Oh, meu Deus — eu disse —, fiz o menino andar tudo isso e agora ele está se sentindo mal...

Não ousei olhar para o garoto, mas pelo jeito que a Srta. Smythe o olhou, tive a certeza de que ele cumpria sua parte silenciosa e eficientemente: o Sr. Savage teria se orgulhado de considerá-lo um membro de sua equipe.

— Deixe que ele entre e se sente — disse a Srta. Smythe.

— É muita bondade sua.

Calculei quantas vezes Sarah havia passado por esta porta em direção ao pequeno vestíbulo atravancado. Aqui estava eu na casa de X. Provavelmente, o chapéu de feltro marrom que estava no cabide pertencia a ele. Os dedos do meu sucessor — os dedos que tocavam em Sarah — torciam diariamente a maçaneta desta porta que se abria agora para a chama amarela do fogo, abajures com cúpulas rosadas acesos na tarde cinzenta, uma profusão de estofados de cretone estampado.

— Posso trazer um copo d'água para o seu filhinho?

— É muita bondade sua. — Eu já tinha dito isto antes.

— Ou um suco de laranja.

— Não se incomode.

— Suco de laranja — o garoto disse, com firmeza; mais uma vez aquela longa pausa e "Obrigado" quando ela estava saindo. Agora que estávamos sozinhos, olhei para ele: realmente parecia doente, encolhido no sofá de cretone. Se ele não tivesse piscado para mim, eu teria suposto que, talvez... A Srta. Smythe voltou, trazendo o suco de laranja, e eu disse:

— Diga obrigado, Arthur.

— O nome dele é Arthur?

— Arthur James — eu disse.

— É um nome bem antiquado.

— Somos uma família antiquada. A mãe dele gostava de Tennyson.

— Ela está...?

— Sim — eu disse, e ela olhou a criança com compaixão.

— Ele deve ser um conforto para você.

— E uma preocupação — eu disse. Comecei a me envergonhar: ela era tão crédula, e de que adiantava estar ali? Aproximava-se o momento de conhecer X, mas será que o fato de dar um rosto ao homem sobre a cama me faria mais feliz? Mudei de tática. Disse: — Preciso me apresentar. Meu nome é Bridges.

— E o meu é Smythe.

— Tenho a impressão de que já a vi antes.

— Acho que não. Tenho uma memória muito boa para rostos.

— Talvez eu a tenha visto no Common.

— Vou lá às vezes com meu irmão.

— Não seria por acaso um John Smythe?

— Não — ela disse. — Richard. Como é que o garotinho está se sentindo?

— Pior — disse o filho de Parkis.

— O senhor não acha que deveríamos tomar-lhe a temperatura?

— Posso tomar mais um pouco de suco de laranja?

— Não pode fazer mal, pode? — disse a Srta. Smythe. — Pobre criança. Talvez ele esteja com febre.

— Nós já a incomodamos demais.

— Meu irmão jamais me perdoaria se eu não o fizesse ficar. Ele gosta muito de crianças.

Seu irmão está em casa?

— Eu o estou esperando a qualquer momento.

— De volta do trabalho?

— Bem, o seu dia de trabalho realmente é domingo.

— Um clérigo? — perguntei, com uma secreta malícia, e recebi a enigmática resposta:

— Não exatamente.

Um olhar de preocupação desceu como uma cortina entre nós e ela se fechou com suas próprias preocupações. Quando se levantou, a porta do vestíbulo se abriu e lá estava X. Tive a impressão, na penumbra do vestíbulo, de um homem com um belo rosto de ator — um rosto que se olhava com muita freqüência no espelho, um quê de vulgaridade, e pensei com tristeza e sem satisfação que gostaria que ela tivesse um gosto melhor. Até que ele entrou no espaço iluminado. As grandes manchas lívidas que cobriam sua face esquerda eram quase como marcas de distinção — eu o havia julgado mal, ele não poderia ter nenhuma satisfação em se olhar no espelho.

A Srta. Smythe disse:

— Meu irmão Richard. Sr. Bridges. O filhinho do Sr. Bridges não está se sentindo bem. Convidei-os a entrar.

Ele me cumprimentou, os olhos fixos no garoto; notei a secura e a quentura de suas mãos. Ele disse:

— Eu já vi o seu garoto antes.

— No Common?

— Talvez.

Ele era forte demais para aquela sala: não combinava com o estampado. Será que a sua irmã ficava sentada aqui, enquanto eles, em outro quarto... ou eles a mandavam sair com alguma incumbência enquanto faziam amor?

Bem, eu tinha visto o homem; não havia mais razão para ficar ali — exceto todas as outras perguntas que sua visão me provocou — onde eles tinham se conhecido? Ela é que tinha tomado a iniciativa? O que ela havia visto nele? Há quanto tempo e com que freqüência faziam amor? Ela havia escrito palavras que eu sabia de cor: "Não preciso escrever para você nem falar com você... sei que estou apenas começando a amar, mas já tenho vontade de abandonar tudo e todos, menos você." Olhei para as manchas de seu rosto e pensei, não há qualquer regra: um corcunda, um aleijado — todos têm a capacidade de despertar o amor.

— Qual foi o motivo real da sua vinda? — ele, de repente, interrompeu meus pensamentos.

— Eu disse à Srta. Smythe: um homem chamado Wilson...

— Não me lembro de seu rosto, mas lembro-me do rosto de seu filho.

Esboçou um pequeno gesto como se quisesse tocar a mão do menino: seus olhos tinham uma espécie de ternura abstrata. Ele disse:

— Você não precisa ter medo de mim. Estou acostumado a que as pessoas venham aqui. Asseguro-lhe que só quero ajudar.

A Srta. Smythe explicou:

— As pessoas são geralmente muito tímidas. — Eu não conseguia imaginar do que é que eles estavam falando.

— Eu estava apenas procurando um homem chamado Wilson.

— Você sabe que *eu* sei que este homem não existe.

— Se você me emprestar um catálogo, eu posso checar o endereço...

— Sente-se, por favor — ele disse e ficou olhando melancolicamente para o menino.

— Preciso ir. Arthur está se sentindo melhor e Wilson... — A ambigüidade dele me deixava constrangido.

— Você pode ir, se quiser, é claro, mas deixe o menino aqui... nem que seja por meia hora. Quero conversar com ele.

Ocorreu-me que ele havia reconhecido o assistente de Parkis e que iria interrogá-lo. Eu disse:

— Qualquer coisa que quiser perguntar a ele pode perguntar a mim.

Toda vez que ele me voltava a face não marcada, minha raiva crescia; toda vez que eu via o outro lado, ela desaparecia e eu não podia acreditar — como não conseguia acreditar que houvesse desejo aqui, entre os cretones floridos, com a Srta. Smythe preparando o chá. Mas o desespero consegue sempre arranjar uma resposta, e era o desespero que me perguntava agora: você preferiria que fosse amor em vez de desejo?

— Você e eu somos muito velhos — ele disse —, mas os professores e os padres estão começando a corrompê-lo com suas mentiras.

— Eu não sei que diabo você está querendo dizer — eu disse e acrescentei rapidamente: — Desculpe — para a Srta. Smythe.

— Olha aí, viu só? — ele disse. — Você disse diabo e, se eu o aborrecesse, certamente diria meu Deus.

Achei que o havia chocado: ele podia ser um ministro protestante; a Srta. Smythe tinha dito que ele trabalhava aos domingos. Mas que coisa horrivelmente bizarra que um homem como este pudesse ser o amante de Sarah. Subitamente, isto diminuiu-lhe a importância: seu caso amoroso se tornou uma piada e poderia ser contada como uma anedota em minha próxima festa. Por um instante, fiquei livre dela. O menino disse:

— Estou me sentindo mal. Posso tomar mais um pouco de laranjada?

— Meu querido, acho melhor não — disse a Srta. Smythe.

— Eu realmente preciso levá-lo embora. Vocês foram muito gentis... — Tentei manter as manchas bem à vista. Eu disse: — Sinto muito se os ofendi de algum modo. Não partilho de suas crenças religiosas.

Ele me olhou surpreso.

— Mas não tenho nenhuma. Não acredito em nada.

— Pensei que você fizesse objeção a...

— Detesto detalhes desnecessários. Perdoe-me. Estou indo depressa demais, Sr. Bridges, sei disso, mas às vezes temo que as pessoas sejam lembradas por palavras convencionais. Até logo, por exemplo. Se ao menos eu conseguisse acreditar que meu neto não saberá sequer o significado que a palavra Deus teve para nós, assim como não conhecemos uma palavra em Swahili.

— Você tem neto?

Ele respondeu, melancolicamente:

— Eu não tenho filhos. Invejo você pelo seu. É uma grande obrigação e uma grande responsabilidade.

— O que você queria perguntar a ele?

— Queria que ele se sentisse à vontade aqui porque assim ele poderia voltar. Há tanta coisa que se tem vontade de dizer a uma criança. Como o mundo começou a existir. Queria falar com ele sobre a morte. Queria libertá-lo de todas as mentiras que lhe injetam na escola.

— Parece muita coisa para meia hora.

— Pode-se lançar uma semente.

Eu disse maliciosamente:

— Isto está nas Escrituras.

— Oh, eu também fui corrompido. Você não precisa me dizer isto.

— As pessoas vêm mesmo procurá-lo... às escondidas?

— Você ficaria surpreso — disse a Srta. Smythe. — As pessoas anseiam por uma mensagem de esperança.

— Esperança?

— Sim, esperança — Smythe disse. — Você não imagina quanta esperança haveria se todo o mundo soubesse que não existe nada além do que temos aqui. Nem compensações, nem recompensas, nem castigos futuros. — O rosto dele tinha uma nobreza insana quando um dos lados estava oculto. — Então começaríamos a fazer deste mundo um paraíso.

— Há muitas coisas a serem explicadas antes — eu disse.

— Posso mostrar-lhe minha biblioteca?

— É a melhor biblioteca racionalista desta parte da cidade — a Srta. Smythe explicou.

— Não preciso ser convertido, Sr. Smythe. Não acredito em nada. A não ser uma vez ou outra.

— É com esta uma vez ou outra que precisamos lidar.

— O estranho é que são esses os momentos de esperança.

— O orgulho pode estar disfarçado de esperança. Ou o egoísmo.

— Acho que uma coisa nada tem a ver com a outra. Acontece de repente, sem nenhum motivo, um perfume...

— Ah — disse o Sr. Smythe —, a criação de uma flor, este argumento da intencionalidade, toda esta história de que um relógio supõe um relojoeiro. Isto está fora de moda. Schwenigen respondeu a tudo isto há vinte e cinco anos. Deixe-me mostrar-lhe...

— Hoje não. Realmente preciso levar o menino para casa.

Mais uma vez, ele fez aquele gesto de ternura frustrada, como um amante rejeitado. Imaginei, subitamente, de quantos leitos de morte ele havia sido excluído. Descobri que também gostaria de dar-lhe alguma mensagem de esperança, mas ele virou o rosto e vi apenas a face arrogante do ator. Eu o preferia quando ele se mostrava digno de pena, inadequado, fora de moda. Ayer, Russell — eles é que estavam em moda hoje, mas eu duvidava que houvesse muitos positivistas lógicos em sua biblioteca. Ele só tinha os cruzados, não os isolados.

Na porta — notei que ele não usava esta expressão perigosa "até logo" — lancei diretamente em seu rosto, na face bonita:

— Você deveria conhecer uma amiga minha, a Sra. Miles. Ela está interessada... — e então parei. O tiro tinha acertado o alvo. As manchas ficaram de um vermelho-escuro e ouvi a Srta. Smythe dizer: "Oh, meu Deus", enquanto ele se afastava abruptamente. Não havia dúvida de que eu lhe havia causado sofrimento, mas o sofrimento era tanto meu quanto dele. Como desejei que meu tiro se tivesse desviado.

Na sarjeta, fora da casa de Parkis, o menino sentiu-se mal. Deixei-o vomitar e fiquei ali, imaginando, será que ele também a perdeu? Será que isto nunca terá fim? Será que agora terei que achar Y?

8

Parkis disse:

— Foi realmente muito fácil, senhor. Havia muita gente: a Sra. Miles pensou que eu fosse do ministério e o Sr. Miles pensou que eu fosse um dos amigos *dela*.

— O coquetel estava bom? — perguntei, lembrando-me outra vez daquele primeiro encontro e da visão de Sarah com aquele desconhecido.

— Um verdadeiro sucesso, eu diria, mas a Sra. Miles parecia um pouco adoentada. Ela está com uma tosse muito feia.

Escutei-o com prazer: talvez nessa festa não tenha havido beijos nem roçar de mãos. Ele colocou um embrulho pardo na minha escrivaninha e disse com orgulho:

— Descobri o caminho para o quarto dela, com a empregada. Se alguém me tivesse visto, diria que estava procurando o banheiro, mas ninguém me notou. Lá estava ele, na sua escrivaninha; ela deve ter trabalhado nele naquele dia. Ela pode ter sido muito cautelosa, mas minha experiência com diários comprova que eles sempre são reveladores. As pessoas inventam seus pequenos códigos, mas a gente os decifra facilmente. Ou omitem coisas, mas a gente sempre descobre as omissões.

Enquanto ele falava, desembrulhei o livro e o abri.

— É da natureza humana, senhor, se alguém faz um diário é porque deseja registrar fatos. Senão, por que conservá-lo?

— Você deu uma olhada?

— Certifiquei-me de sua natureza, senhor, e, por uma das anotações, concluí que ela não é do tipo cauteloso.

— Ele não é deste ano — eu disse —, é de dois anos atrás.

Por um instante, ele ficou desconcertado.

— Vai servir para os meus objetivos — eu disse.

— Pode servir do mesmo jeito, senhor, se nada tiver sido perdoado.

O diário foi escrito num caderno grande e sua letra familiar atravessava as linhas azuis e vermelhas. Não havia datas e eu pude tranqüilizar Parkis:

— Ele abrange vários anos.

— Suponho que algo deve ter feito com que ela o retomasse para leitura.

Será possível, eu pensei, que alguma recordação minha, do nosso caso, tenha passado por sua cabeça naquele mesmo dia, que alguma coisa possa ter perturbado sua paz? Eu disse a Parkis:

— Estou muito satisfeito de tê-lo obtido. Acho que podemos encerrar nossa conta agora.

— Espero que o senhor esteja satisfeito.

— Muito satisfeito.

— E que o senhor escreva sobre isto ao Sr. Savage. Ele recebe relatórios dos clientes falando mal, mas os que elogiam nunca chegam. Quanto mais um cliente fica satisfeito, mais ele quer esquecer; para tirar-nos da mente. A gente não pode culpá-los.

— Escreverei.

— E muito obrigado por ter sido gentil com o garoto. Ele passou um pouco mal, mas sei como é: é difícil dizer não a um menino como Lance. Ele arranca as coisas da gente quase sem pedir.

Eu estava louco para ler, mas Parkis não ia embora. Talvez ele achasse que não me lembraria dele e quisesse imprimir mais nitidamente em minha memória seus olhos de cão sem dono e seu bigode ralo.

— Apreciei a nossa união, senhor, se é que se pode falar em apreciar nestas circunstâncias. Nem sempre se trabalha para um verdadeiro cavalheiro, mesmo com títulos de nobreza. Trabalhei para um par do reino certa vez e ele teve um acesso de raiva quando lhe entreguei o relatório, como se fosse eu o verdadeiro culpado. É muito desanimador. Quanto mais eficientes somos, mais felizes eles ficam em nos verem pelas costas.

Eu tinha certeza de que queria ver Parkis pelas costas e suas palavras despertaram em mim um sentimento de culpa. Não podia despachar o homem. Ele disse:

— Estive pensando, e gostaria de dar-lhe uma pequena lembrança, mas acho que isto é justamente o que o senhor não gostaria de receber.

Como é estranho saber que alguém gosta da gente. Desperta-nos, automaticamente, uma certa lealdade. Então menti para Parkis:

— Sempre gostei de nossas conversas...

— Que começaram de uma forma tão pouco promissora. Com aquele erro bobo.

— Você chegou a contar ao garoto?

— Sim, senhor, mas só depois de alguns dias, depois do sucesso com a cesta de papéis usados, o que amenizou a coisa.

Baixei os olhos para o diário e li: "Estou tão feliz. M. volta amanhã." Imaginei por um instante quem seria M. Como era estranho também e pouco comum pensar que se foi amado, que nossa presença teve o poder de significar para alguém a diferença entre o tédio e a felicidade.

— Mas se o senhor não se importasse mesmo com uma lembrança...

— É claro que não, Parkis.

— Tenho uma coisa aqui que pode ser do seu interesse. — Tirou do bolso um objeto embrulhado em papel fino e empurrou-o timidamente sobre a escrivaninha, na minha direção. Desembrulhei-o. Era um cinzeiro barato, do Hotel Metrópole, Brightlingsea.

— Há uma história interessante ligada a ele. O senhor deve se lembrar do caso Bolton.

— Acho que não.

— Teve uma grande repercussão na época. Lady Bolton, a empregada e o homem. Todos foram apanhados juntos. Este cinzeiro estava ao lado da cama. No lado da dama.

— Você deve ter seu pequeno museu.

— Eu devia ter dado o cinzeiro para o Sr. Savage, ele teve um interesse especial no caso, mas estou contente por não tê-lo feito. Acho que a inscrição vai provocar comentários quando seus amigos apagarem seus cigarros, e aí o senhor pode responder: o caso Bolton. Todos eles vão querer ouvir a respeito.

— Parece um caso sensacional.

— Tudo isto faz parte da natureza humana, o senhor não acha? Embora eu tenha ficado realmente surpreso. Não esperava uma terceira pessoa. E o quarto não era grande nem elegante. A Sra. Parkis era viva na época, mas não quis contar-lhe os detalhes. Essas coisas a perturbavam.

— Guardarei esta lembrança com muito zelo — eu disse.

— Se os cinzeiros falassem, senhor.

— Realmente.

Mas Parkis, com este pensamento profundo, tinha esgotado o assunto. Um último aperto de mão, um pouco melado (talvez sua mão tenha estado em contato com a de Lance), e ele saiu. Não era dessas pessoas que se espera rever. E abri o diário de Sarah. Pensei, inicialmente, em procurar aquele dia de junho de 1944 em que tudo acabou. Depois de descobrir o motivo, procuraria muitas outras datas, confrontando com meu próprio diário, para saber como aquele amor começara a se desgastar. Eu queria tratá-lo como deve ser tratado o documento de um caso — um dos casos de Parkis — mas não tive esta tranqüilidade: o que encontrei quando abri o diário não foi o que estava esperando. Ódio, suspeita e inveja tinham-me feito ir tão longe que li suas palavras como se fossem a declaração de amor de uma estranha. Tinha suposto encontrar inúmeras provas contrárias a ela — eu não a havia apanhado tantas vezes em mentiras? — e agora que podia acreditar no que estava escrito, já que não consegui acreditar em sua voz, achava a resposta completa. Pois foram as duas últimas páginas que li primeiro, e tornei a lê-las no fim, para ter mais certeza. É estranho descobrir e acreditar que somos amados quando sabemos que não há nada em nós para ser amado, exceto por um pai, uma mãe ou um Deus.

LIVRO TRÊS

LIVRO TRÊS

1

...NADA RESTOU QUANDO TERMINAMOS, a não ser Você. Para nenhum de nós. Eu poderia ter passado a vida inteira gastando um pouco de amor de cada vez, conseguindo um pouco aqui e ali, com um ou outro homem. Mas mesmo da primeira vez, no hotel perto de Paddington, gastamos tudo o que tínhamos. Você estava lá, ensinando-nos a esbanjar — como ensinou ao homem rico — para que um dia não nos restasse mais nada a não ser o amor por Você. Mas você é bom demais para mim. Quando eu pedi que me desse sofrimento, Você me deu paz. Dê a ele também. Dê-lhe a minha paz — ele precisa mais do que eu.

12 de fevereiro de 1946

Há dois dias tive uma enorme sensação de paz, tranqüilidade e amor. A vida ia ser alegre outra vez. Mas na noite passada sonhei que estava subindo uma longa escada para encontrar com Maurice no alto. Eu ainda estava feliz porque quando chegasse no alto da escada faríamos amor. Gritei para ele que estava chegando, mas não foi sua voz que me respondeu; foi a voz de um estranho que soava como uma sirene de nevoeiro chamando navios perdidos, e me assustei. Eu pensei, ele saiu do apartamento, partiu e não sei onde ele está, e, ao descer as escadas, a água chegou além da minha cintura e o saguão estava cheio de névoa. Então acordei. Não me sinto mais em paz. Simplesmente quero estar com ele como antigamente. Quero comer sanduíches com ele. Quero beber com ele num bar. Estou cansada e não quero mais sofrer. Quero Maurice. Quero o simples e corrupto amor humano. Querido Deus, Você sabe que quero querer o Seu sofrimento, mas não agora. Afaste-o de mim por algum tempo e devolva-o em outra ocasião.

Depois disto, comecei a ler do princípio. Ela não escrevia todos os dias, e eu não tinha nenhuma vontade de ler todas as anotações. Os teatros a que ela tinha ido com Henry, os restaurantes, as festas — toda aquela vida que eu desconhecia ainda tinha o poder de me fazer sofrer.

2

12 de junho de 1944

ÀS VEZES SINTO-ME MUITO cansada de tentar convencê-lo de que o amo e o amarei para sempre. Ele arremete contra minhas palavras, como se fosse um advogado de acusação e as deturpa. Sei que ele teme aquele deserto que o circundaria se nosso amor terminasse, mas não consegue perceber que sinto exatamente a mesma coisa. O que diz em voz alta, digo silenciosamente, para mim mesma, e escrevo aqui. O que se pode construir no deserto? Às vezes, depois de um dia em que tenhamos feito amor várias vezes, imagino se não é possível chegar-se ao fim do sexo, e sei que ele está imaginando o mesmo, com medo daquele ponto onde começa o deserto. O que vamos fazer no deserto se perdermos um ao outro? Como se continua a viver depois disso?

Ele tem ciúmes do passado, do presente e do futuro. Seu amor é como um cinto de castidade medieval: ele só se sente seguro quando está lá, comigo, dentro de mim. Se ao menos eu pudesse fazê-lo sentir-se seguro, poderíamos nos amar tranqüilamente, com alegria, desordenadamente, sem selvageria, e o deserto desapareceria de nossas vistas. Talvez pelo resto da vida.

Se uma pessoa pudesse acreditar em Deus, será que encheria o deserto?

Sempre quis ser querida ou admirada. Sinto uma terrível insegurança se um homem me ignora, se perco um amigo. Não quero nem mesmo perder um marido. Quero tudo, o tempo todo, em toda parte. Tenho medo do deserto. Deus ama você, eles dizem nas igrejas, Deus é tudo. As pessoas que acreditam nisso não precisam ser admiradas, não precisam dormir com um homem, sentem-se seguras. Mas eu não posso inventar uma fé.

Maurice hoje foi gentil comigo o dia inteiro. Ele me diz freqüentemente que nunca amou tanto assim outra mulher. Acha que dizendo isto freqüentemente vai me fazer acreditar. Mas eu acredito simplesmente porque o amo exatamente do mesmo jeito. Se deixasse de amá-lo, deixaria de acreditar no Seu amor. Se eu amasse a Deus, acreditaria em Seu amor por mim. Não é suficiente precisar do amor. Nós temos que amar primeiro, e não sei como. Mas preciso dele, e como preciso.

Ele foi gentil o dia todo. Só uma vez, quando o nome de um homem foi mencionado, vi seus olhos se desviarem. Ele acha que ainda durmo com outros homens. E se eu dormisse? Será que isto importaria tanto? Se ele às vezes tem uma mulher, eu reclamo? Eu não o privaria de um pouco de companhia no deserto se não o pudesse ter. Às vezes acho que se chegasse o momento, ele me recusaria até mesmo um copo d'água; me levaria a um isolamento tão completo que ficaria sozinha sem nada e sem ninguém — como um eremita, mas eles nunca estavam sozinhos, pelo menos é o que eles dizem. Estou tão confusa. O que estamos fazendo um ao outro? Porque sei que estou fazendo a ele exatamente o mesmo que ele está fazendo a mim. Às vezes somos tão felizes, e nunca em nossas vidas conhecemos tanta infelicidade. É como se estivéssemos trabalhando juntos na mesma estátua, esculpindo-a com a desgraça um do outro. Mas não sei nem mesmo que forma ela tem.

17 de junho de 1944

Ontem fui para casa com ele e fizemos as coisas de sempre. Eu não tenho coragem de falar sobre elas mas gostaria de ter, porque agora, enquanto estou escrevendo, já é amanhã e tenho medo de chegar ao fim de ontem. Enquanto continuar a escrever, ontem é hoje e nós ainda estamos juntos.

Enquanto esperava por ele ontem, havia oradores no Common: o I.L.P. e o Partido Comunista, o homem que só conta piadas e um homem atacando o cristianismo. A Sociedade Racionalista do Sul de Londres ou algo assim. Ele seria bonito se não fossem algumas marcas que cobriam uma de suas faces. Havia poucas pessoas ouvindo e ninguém o importunou com perguntas. Ele estava atacando algo que já estava morto e imaginei por que se dava a este trabalho. Fiquei e ouvi por alguns minutos: ele estava discutindo os argumentos a favor da existência de Deus. Eu, na verdade, não sabia que existiam argumentos, exceto esta necessidade covarde que sinto de não ficar só.

De repente, tive medo de que Henry pudesse ter mudado de idéia e mandado um telegrama para dizer que estaria em casa. Nunca sei o que mais me assusta — o meu desapontamento ou o de Maurice. Acontece o mesmo conosco: nós provocamos uma briga. Fico zangada comigo mesma e ele fica zangado comigo. Fui para casa e não havia telegrama. Atrasei-me dez minutos para o encontro com Maurice e comecei a ficar zangada para poder enfrentar sua zanga e então, inesperadamente, ele foi gentil comigo.

Nós nunca havíamos tido um dia tão longo e teríamos ainda a noite inteira. Compramos alface, pãezinhos e a ração de manteiga — não queríamos comer muito e estava muito quente. Ainda está quente agora: todo o mundo vai dizer, que lindo verão, e eu estou num trem indo para o campo me encontrar com Henry, e tudo está terminado para sempre. Estou com medo: isto *é* o deserto, e não há ninguém, nada, por milhas e milhas. Se estivesse em Londres, poderia ser morta rapidamente, mas se eu estivesse em Londres, iria para o telefone e ligaria para o único número que sei de cor. Freqüentemente, esqueço meu próprio número: suponho que Freud diria que quero esquecê-lo porque é o número de Henry também. Mas eu amo Henry: quero que ele seja feliz. Só o odeio hoje porque ele *está feliz*, e eu e Maurice não estamos, e ele não sabe de nada. Ele vai dizer que eu pareço cansada e vai pensar que é a menstrução — ele não se dá mais ao trabalho de fazer as contas desses dias.

Nesta noite, as sirenes tocaram — quero dizer na noite passada, é claro, mas o que importa isto? No deserto não existe tempo. Mas posso sair do deserto quando quiser. Posso pegar um trem para casa amanhã e telefonar para ele. Henry ainda estará no campo, possivelmente, e poderemos passar a noite juntos. Uma promessa não é assim tão importante — uma promessa para alguém em que não acredito realmente. Ninguém vai saber que quebrei uma promessa, exceto eu e Ele — e Ele não existe, não é? Ele não pode existir. Você não pode ter um Deus misericordioso e sentir este desespero.

Se eu voltasse, onde ficaríamos? Onde estávamos ontem, antes que as sirenes começassem a tocar, e no ano que passou antes disso. Zangados um com o outro por medo do fim, imaginando o que faríamos da vida quando não nos restasse mais nada. Eu não preciso mais imaginar — não restou nada. Isto é o fim. Mas, querido Deus, o que vou fazer com este desejo de amar?

Por que escrevo "querido Deus"? Ele não é querido — não para mim. Se Ele existe, então foi Ele quem colocou na minha cabeça a idéia desta promessa e eu O odeio por isto. Eu odeio. A todo momento o trem passava por uma igreja de pedra cinzenta e por um *pub*: o deserto está cheio de igrejas e *pubs*. E várias lojas, homens andando de bicicleta, grama e vacas, e chaminés de fábricas. Você os vê através da areia como peixes através da água, num tanque. E Henry também espera no tanque, erguendo o focinho para o meu beijo.

Não demos atenção às sirenes. Elas não importavam. Não tínhamos medo de morrer daquele jeito. Mas o bombardeio continuou sem parar. Não foi um bombardeio comum: os jornais não têm permissão para divulgar ainda, mas todo o mundo sabe. Foi aquela coisa nova sobre a qual nós havíamos sido avisados. Maurice desceu para ver se havia alguém no porão — ele estava com medo por minha causa e eu estava com medo por causa dele. Eu sabia que alguma coisa iria acontecer.

Nem dois minutos tinham se passado depois que ele saiu quando houve uma explosão na rua. O quarto era nos fundos e nada aconteceu; apenas a porta foi escancarada e caiu um pouco de reboco, mas eu sabia que ele estava na frente da casa quando a bomba caiu. Desci as escadas; elas estavam cheias de entulho e pedaços de corrimão, e o vestíbulo estava uma desordem. A princípio não vi Maurice, e depois vi seu braço saindo sob a porta. Toquei sua mão: podia jurar que era uma mão morta. Quando duas pessoas se amaram, elas não podem disfarçar uma falta de ternura num beijo. Não teria eu reconhecido a vida, se houvesse alguma, quando toquei aquela mão? Tive a certeza de que, se puxasse a mão, ela se soltaria do corpo e sairia, sozinha, de sob a porta. Obviamente sei que isto foi histeria. Eu estava enganada. Ele não estava morto. Uma pessoa é responsável pelo que promete em estado de histeria? Ou pelas promessas que quebra? Estou histérica agora, ao escrever isto. Mas não existe uma única pessoa em lugar algum a quem possa dizer que estou infeliz, porque ela me perguntaria por que e começariam as perguntas e eu entraria em desespero. Não posso desesperar-me porque preciso proteger Henry. Oh, Henry que vá para o diabo. Quero alguém que aceite a verdade a meu respeito e que não precise de proteção. Se sou uma cadela e uma impostora, será que não existe ninguém que possa amar uma cadela e uma impostora?

Ajoelhei-me no chão: estava louca para fazer uma coisa dessas, nunca tive que fazer isto nem quando era criança — meus pais nunca acreditaram em orações. Não fazia idéia do que dizer. Maurice estava morto. Extinto. Não havia uma coisa chamada alma. Mesmo a meia felicidade que eu dei a ele foi sugada como sangue. Ele nunca mais teria a chance de ser feliz. Com ninguém, eu pensei: alguém poderia tê-lo amado e tê-lo feito mais feliz do que fui capaz, mas agora ele não teria esta chance. Ajoelhei-me, pus a cabeça na cama e desejei que pudesse ter fé. Querido Deus, eu disse — por que querido, por que querido? —, faça-me ter fé. Não consigo acreditar. Faça-me acreditar. Sou uma cadela e uma impostora e me odeio. Não consigo dar um jeito em mim mesma. *Faça-me* acreditar. Fechei os olhos bem apertados, enfiei as unhas nas palmas das mãos até não sentir mais nada além da dor, e disse: vou ter fé. Faça com que ele esteja vivo e vou ter fé. Dê-lhe uma chance. Deixe-o ser feliz. Faça isso e eu acreditarei. Mas não foi o suficiente. Acreditar não dói. Então eu disse: eu o amo e farei qualquer coisa se Você fizer com que ele esteja vivo. Eu disse bem devagar: vou desistir dele para sempre, deixe apenas que esteja vivo e que tenha uma chance, e apertei as mãos até sentir a pele rasgar e disse: as pessoas podem amar sem se ver, não é? Elas amam Você a vida inteira sem vê-Lo. E então ele apareceu na porta, e estava vivo, e eu pensei, agora começa a agonia de ficar sem ele, e desejei que estivesse morto outra vez sob a porta.

9 de julho de 1944

Embarquei no trem das 8h30min com Henry. O vagão da primeira classe estava vazio. Henry leu alto as Atas da Comissão. Apanhei um táxi em Paddington e deixei Henry no Ministério. Fi-lo prometer que estaria em casa à noite. O motorista do táxi errou e me levou para o lado sul, passando pelo número 14. A porta havia sido consertada e as janelas da frente estavam pregadas. É horrível sentir-se morta. A gente quer se sentir viva de novo de qualquer jeito.

Quando cheguei no lado norte, havia velhas cartas que não me haviam sido enviadas porque eu tinha dito que não me enviassem nada. Velhos catálogos de livros, velhas contas, uma carta marcada "Urgente. Favor remeter". Quis abri-la para ver se ainda me interessava, mas rasguei-a junto com os catálogos.

3

10 de julho de 1944

Eu PENSEI: NÃO ESTAREI quebrando minha promessa se, aciden-
talmente, encontrar com Maurice no Common. E saí depois do café,
tornei a sair depois do almoço e, de novo, ao entardecer, fiquei andando por ali, mas não o avistei. Não podia ficar fora de casa depois
das seis porque Henry tinha convidados para o jantar. Os oradores
estavam lá de novo, como em junho, e o homem com as manchas
ainda estava atacando o cristianismo, e ninguém ligava. Pensei: se
ao menos ele conseguisse me convencer de que não sou obrigada a
cumprir uma promessa feita a alguém em quem não acredito, que
milagres não acontecem, e fiquei ouvindo um pouco, mas o tempo
todo estava olhando em volta para ver se Maurice aparecia. Falou
sobre a data dos Evangelhos e que o primeiro não foi escrito sequer
nos primeiros cem anos depois do nascimento de Cristo. Eu nunca
me dera conta de que eles eram assim tão antigos, mas não achei
que tivesse assim tanta importância a época em que a lenda começou. Então ele disse que Cristo nunca afirmou ser Deus nos Evangelhos, mas será que existiu mesmo um homem como Cristo, e o
que importam os Evangelhos, afinal, se comparados com esta dor
de ficar esperando e não ver Maurice? Uma mulher de cabelos gri-
salhos distribuiu cartões com o nome dele gravado, Richard Smythe,

e seu endereço em Cedar Road, e havia um convite para qualquer um ir lá e conversar com ele em particular. Algumas pessoas se recusaram a receber o cartão e se afastaram como se a mulher estivesse pedindo uma subscrição, e outros deixaram os cartões caírem na grama (eu a vi apanhar alguns, por medida de economia, suponho). Pareceu-me muito triste — aquelas marcas horríveis — falar sobre algo em que ninguém estava interessado, os cartões jogados fora como ofertas de amizade recusadas. Guardei o cartão no bolso e ansiei para que ele me tivesse visto fazer isto.

Sir William Mallock veio jantar. Era um dos conselheiros de Lloyd George sobre Seguro Nacional, muito velho e importante. Henry, é claro, não tem mais nada a ver com pensões, mas mantém um interesse no assunto e gosta de recordar aqueles dias. Não era nas pensões das viúvas que ele estava trabalhando no dia em que Maurice e eu saímos para jantar pela primeira vez e quando tudo começou? Henry começou uma longa discussão com Mallock, cheia de estatísticas, alegando que, se as pensões das viúvas subissem mais um centavo, chegariam ao mesmo piso de dez anos atrás. Discordaram sobre o custo de vida de maneira muito acadêmica, pois ambos disseram que o país não poderia elevá-las de maneira aleatória. Tive que conversar com o chefe de Henry no Ministério da Defesa, e não sabia o que dizer sobre o VIS, e, de repente, tive vontade de contar a todo mundo que havia descido as escadas e encontrado Maurice soterrado. Quis dizer que estava nua, é claro, porque não tivera tempo de me vestir. Será que Sir William Mallock teria ao menos virado a cabeça ou Henry teria ouvido? Ele tem uma capacidade maravilhosa de só ouvir o assunto de que está falando e no momento era o índice do custo de vida em 1943. Eu estava nua, eu quis dizer, porque Maurice e eu tínhamos feito amor a noite inteira.

Olhei para o chefe de Henry. Era um homem chamado Dunstan. Tinha o nariz quebrado e sua cara amassada parecia um defeito de fabricação — um rosto recusado para exportação. Tudo o que ele faria — pensei — seria sorrir: ele não ficaria zangado nem indiferente, aceitaria o fato como algo que seres humanos costumam fazer. Tive a sensação de que bastaria fazer um gesto e ele retribuiria. Pensei, por que não? Por que não escapar deste deserto nem que seja por meia hora? Não havia prometido nada em relação a estranhos, só a respeito de Maurice. Não posso ficar o resto da vida sozinha com Henry, sem ninguém que me admire, ninguém a quem eu excite, ouvindo Henry conversar com os outros, me fossilizando sob aquela conversa como o chapéu-coco nas cavernas de Cheddar.

15 de julho de 1944

Almocei com Dunstan no Jardim des Gourmets. Ele disse...

21 de julho de 1944

Tomei uns drinques com Dunstan em casa, enquanto ele esperava por Henry. Tudo levou a...

22 de julho de 1944

Jantei com D. Ele veio até aqui depois para mais um drinque. Mas não me emocionou, não adiantou.

23-30 de julho de 1944

D. telefonou. Mandei dizer que não estava. Saí em viagem com Henry. Defesa Civil no sul da Inglaterra. Conferências com diretores de prisões e engenheiros municipais. Problemas de explosão. Problemas de proteção. O problema de fingir estar viva. Henry e eu dormindo lado a lado, noite após noite, como figuras numa tumba. No novo abrigo reforçado de Bigwell-on-Sea, o diretor da prisão me beijou. Henry tinha ido na frente para o segundo compartimento com o prefeito e o engenheiro, e eu fiz o diretor parar tocando o seu braço e fazendo-lhe uma pergunta a respeito dos beliches de ferro, algo estúpido sobre por que não havia beliches duplos para os que eram casados. Eu queria que ele sentisse vontade de me beijar. Ele me espremeu contra um beliche, com tal força que o metal machucou minhas costas, e me beijou. Depois ficou com uma cara tão espantada que eu ri e retribuí o beijo. Mas não adiantou. Será que nunca mais vou me excitar? O prefeito voltou com Henry. Ele estava dizendo: "Numa prisão podemos abrigar duzentos." Naquela noite, quando Henry estava num jantar oficial, pedi à telefonista para ligar para o número de Maurice. Fiquei deitada na cama, esperando a ligação se completar. Eu disse a Deus que havia mantido a promessa por seis semanas. Não consigo acreditar em Você, não consigo amá-Lo, mas mantive minha promessa. Se eu não viver de novo, vou me tornar uma prostituta, apenas uma prostituta. Vou me destruir deliberadamente. Serei cada vez mais usada. Você acha isto melhor do que quebrar minha promessa? Serei dessas mulheres que riem demais nos bares e têm três homens à sua volta e os tocam sem intimidade. Estou caindo aos pedaços.

Mantive o fone preso ao ombro e ouvi a telefonista dizer: "Estamos discando o seu número." Eu disse a Deus: se ele atender, vou-me embora amanhã. Sabia exatamente onde ficava o telefone: ao lado da cama. Uma vez o havia derrubado enquanto dormia, atingindo-o com meu punho. Uma voz de mulher atendeu e quase desliguei. Eu havia desejado que Maurice fosse feliz, mas será que tinha desejado que encontrasse a felicidade tão depressa? Senti-me um pouco mal do estômago até que a lógica veio em meu socorro e fiz meu cérebro argumentar comigo — por que não? Você o abandonou: você quer que ele seja feliz. Eu disse: "Posso falar com o Sr. Bendrix?" Mas tudo tinha perdido o sentido. Talvez agora ele nem quisesse que eu quebrasse a minha promessa: talvez tivesse encontrado alguém que pudesse ficar com ele, fazer as refeições com ele, sair com ele, dormir com ele toda noite até que se tornasse doce e rotineiro, atender o telefone para ele. Então a voz disse: "O Sr. Bendrix foi passar umas semanas fora. Pedi emprestado o apartamento."

Desliguei. A princípio fiquei feliz, e depois fiquei infeliz de novo. Não sabia onde ele estava. Nós não estávamos em contato. No mesmo deserto, procurando os mesmos poços, talvez, mas longe dos olhos, sempre sozinhos. Pois não seria um deserto se estivéssemos juntos. Eu disse a Deus: então é isto. Começo a acreditar em Você, e se acreditar em Você, vou odiá-Lo. Tenho livre-arbítrio para quebrar minha promessa, mas não tenho o poder de ganhar nada em quebrá-la. Você me deixa telefonar, mas então fecha a porta na minha cara. Você me deixa pecar, mas retira os frutos do meu pecado. Você me deixa tentar escapar com D., mas não me permite o prazer. Você me faz forçar o amor a sair, e me diz que também não há desejo em Você. O que Você espera que eu faça agora, Deus? Onde é que eu fico?

Quando estava na escola, falaram-me de um rei, um dos Henrys que mandou matar Becket. Ao ver sua terra natal incendiada pelos inimigos, ele jurou que, como Deus lhe fizera aquilo, "como Você me privou da cidade que eu mais amava, do lugar onde nasci e me criei, vou privá-Lo do que Você mais aprecia em mim". Estranho que tenha me lembrado desta oração dezesseis anos depois. Um rei fez este juramento montado em seu cavalo, há setecentos anos, e eu o repito agora, num quarto de hotel em Bigwell-on-Sea — Bigwell Regis. Vou privá-Lo, Deus, do que Você mais aprecia em mim. Eu nunca soube nenhuma oração de cor, mas me lembro desta — será uma oração? Do que Você mais aprecia em mim.

O que Você mais gosta em mim? Se acreditasse em Você, suponho que acreditaria na alma imortal, mas é isto o que Você ama? Você pode realmente vê-la por baixo da pele? Nem mesmo um Deus pode amar algo que não existe, algo que Ele não pode ver. Quando Ele me olha, será que Ele vê alguma coisa que não vejo? Deve ser bonita se Ele é capaz de amá-la. Isto é pedir para eu acreditar demais, que existe alguma coisa bonita em mim. Gosto que os homens me admirem, mas isto se aprende na escola — um movimento de olhos, um tom de voz, um carinho no ombro ou na cabeça. Se acham que você os admira, passam a admirá-la pelo seu bom gosto, e quando eles a admiram, você tem a ilusão momentânea de que existe algo a ser admirado. Minha vida inteira vivi nesta ilusão — uma droga tranqüilizante que me permite esquecer que sou uma cadela e uma impostora. Mas o que Você deve amar numa cadela e numa impostora? Onde Você encontra esta alma imortal de que tanto falam? Onde Você vê esta coisa bonita em mim — em mim, dentre todas as pessoas? Posso entender que Você a encontre em Henry — meu Henry. Ele é gentil, bom e paciente. Você pode achá-la em Maurice, que pensa que odeia, mas ama o tempo todo. Mesmo os seus inimigos. Mas nesta cadela e nesta impostora, onde Você encontra algo para amar?

Diga-me o que é, Deus, e vou privá-Lo disto para sempre.

Como foi que o rei manteve sua promessa? Gostaria de me lembrar. Não consigo lembrar-me de mais nada a seu respeito, a não ser que ele se deixou açoitar pelos monges sobre o túmulo de Becket. Esta não me parece ser a resposta. Deve ter sido antes disso.

Henry tornou a sair esta noite. Se eu for até o bar, apanhar um homem, levá-lo para a praia e deitar-me com ele no meio das dunas, não O estarei privando daquilo de que Você mais gosta? Mas isto não adianta. Não funciona mais. Não posso feri-lo se não tiver nenhum prazer com isto. Também poderia furar-me com pregos como aqueles povos do deserto. O deserto. Quero fazer alguma coisa que eu aprecie, machucando-O. Senão será apenas mortificação, o que vem a ser uma expressão de fé. E acredite-me, Deus, eu não acredito em Você ainda, eu não acredito em Você ainda.

4

Almocei no Peter Jones e comprei um abajur novo para o escritório de Henry. Um almoço bem-comportado, cercada de outras mulheres. Não havia qualquer homem à vista. Era como um regimento. Quase uma sensação de paz. Depois, fui assistir a um noticiário em Piccadilly, vi ruínas na Normandia e a chegada de um político americano. Nada para fazer até as sete, quando Henry voltaria para casa. Tomei uns drinques sozinha. Foi um erro. Será que terei que deixar de beber também? Se eliminar tudo, como vou viver? Eu amava Maurice, saía com homens e gostava de drinques. O que acontece quando se abandona todas as coisas que lhe fazem ser você? Henry chegou. Percebi que estava muito satisfeito com alguma coisa; obviamente, queria que eu perguntasse o que era, mas não perguntei. Então, no fim, ele foi obrigado a me contar:

— Eu vou ser recomendado para um OBE.*

— O que é isto? — perguntei.

Ele ficou desapontado com minha ignorância. Explicou que no estágio seguinte, um ou dois anos mais tarde, quando fosse chefe de

---

*Officer of the Order of the British Empire.

departamento, seria um CBE,* "e depois disso", ele disse, "quando me aposentar, provavelmente me darão um KBE".**

— É tão confuso — eu disse —, eles não podiam usar sempre as mesmas letras?

— Você não gostaria de ser Lady Miles? — Henry disse, e pensei furiosa: tudo o que quero no mundo é ser a Sra. Bendrix e desisti para sempre deste sonho. Lady Miles, que não tem um amante e não bebe, mas conversa com Sir William Mallock sobre pensões. E onde *eu* ficaria esse tempo todo?

Na noite passada, olhei para Henry enquanto ele dormia. Enquanto fui o que a lei considera a parte culpada, eu podia olhar para ele com afeto, como se fosse uma criança necessitada de proteção. Agora que era o que eles chamam de inocente, vivia permanentemente furiosa com ele. Ele tinha uma secretária que às vezes lhe telefonava. Ela costumava dizer: "Oh, Sra. Miles, S.M. está?" Todas as secretárias usam essas intoleráveis iniciais, não íntimas, mais amistosas. S.M., eu pensei, vendo-o dormir. S.M. Sua Majestade e sua consorte. Às vezes, ele sorria durante o sono, um sorriso breve e moderado de funcionário público, como se estivesse dizendo: é muito engraçado, mas agora é melhor continuarmos o trabalho.

Eu lhe disse uma vez:

— Você já teve um caso com uma secretária?

— Caso?

— Caso de amor.

— Claro que não. Por que você está pensando isto?

— Não sei. Eu só estava imaginando.

— Nunca amei outra mulher — disse, e começou a ler os jornais. Não pude deixar de pensar se meu marido é tão pouco atraente que nenhuma mulher jamais o desejou. Exceto eu, é claro.

---

*Commander of the Order of the British Empire.
**Knight Commander of the Order of the British Empire.

Eu devo tê-lo desejado, num certo sentido, uma vez, mas me esqueci da razão, e era jovem demais para saber o que estava escolhendo. É tão injusto. Enquanto eu amava Maurice, amava Henry, e agora que sou o que chamam de boa, não amo ninguém. E muito menos Você.

5

8 de maio de 1945

Fui ATÉ ST. JAMES PARK, à noite, para vê-los celebrar o Dia da Vitória. Estava muito tranqüilo perto daquele lago iluminado por holofotes, entre a Guarda Montada e o palácio. Ninguém gritou, cantou ou se embebedou. As pessoas se sentavam em pares na grama, de mãos dadas. Acho que estavam felizes porque havia paz e não havia mais bombas. Eu disse a Henry:

— Não gosto da paz.

— Estou imaginando onde serei localizado quando sair do Ministério da Defesa.

— No Ministério da Informação? — perguntei, tentando demonstrar interesse.

— Não, não, eu não aceitaria. Está cheio de funcionários públicos rotativos. O que você acharia do Ministério do Interior?

— Qualquer coisa que lhe agrade, Henry — disse. A Família Real apareceu no balcão e a multidão cantou com muito decoro. Eles não eram líderes como Hitler, Stalin, Churchill, ou Roosevelt, eram simplesmente uma família que não tinha feito mal a ninguém. Eu queria Maurice a meu lado. Queria começar de novo. Queria pertencer a uma família também.

— Muito comovente, não é? — disse Henry. — Bem, podemos todos dormir tranqüilos à noite, agora — acrescentou, como se nós alguma vez tivéssemos feito outra coisa à noite além de dormir tranqüilos.

10 de setembro de 1945

Preciso ser razoável. Há dois dias, quando estava esvaziando minha bolsa velha — Henry resolveu me dar uma nova de "presente de paz" — deve ter sido caríssima —, encontrei um cartão que dizia: "Richard Smythe, Cedar Road 16, de 4 às 6, diariamente, para consulta particular. Qualquer pessoa é bem-vinda." Eu pensei: já fui maltratada o suficiente. Agora vou mudar de tática. Se ele conseguir me convencer de que não houve nada, de que minha promessa não importa, vou escrever para Maurice e perguntar se ele quer recomeçar. Talvez até deixe Henry. Não sei. Mas primeiro tenho que ser razoável. Não vou mais ficar histérica. Serei sensata. E fui até Cedar Road.

Agora estou tentando me lembrar do que aconteceu. A Srta. Smythe fez o chá e depois deixou-me sozinha com o irmão. Ele me perguntou quais eram as minhas dificuldades. Sentei-me num sofá de *chintz* e ele se sentou numa cadeira meio dura, com um gato no colo. Acariciou o gato, suas mãos eram bonitas, mas não gostei delas. Eu quase preferia as manchas, mas ele se sentou com o lado bom do rosto virado para mim.

— Você pode me dizer por que está tão certo de que não existe Deus? — perguntei.

Ele olhou as próprias mãos que acariciavam o gato e senti pena dele porque tinha orgulho das mãos. Se seu rosto não fosse marcado, talvez não sentisse esse orgulho.

— Você me ouviu falar no Common?

— Ouvi.

— Lá eu preciso falar de um modo bem simples. Para obrigar as pessoas a pensarem por si mesmas. Você começou a pensar por si mesma?

— Acho que sim.

— Em que religião você foi criada?

— Em nenhuma.

— Então você não é cristã?

— Eu posso ter sido batizada, é uma convenção social, não é?

— Se você não tem nenhuma fé, por que deseja minha ajuda?

Por que mesmo? Eu não podia contar a ele a respeito de Maurice, preso debaixo da porta, e a minha promessa. Ainda não. E aquilo não era tudo, pois quantas promessas havia feito e quebrado na minha vida? Por que esta promessa ficou, como um vaso feio que um amigo nos deu e a gente espera que a empregada quebre, e ano após ano ela quebra as coisas que a gente aprecia e o vaso feio permanece? Eu realmente nunca havia encarado aquela pergunta, e ele foi obrigado a repeti-la.

— Não tenho certeza de não acreditar. Mas não quero — disse-lhe.

— Fale-me sobre isso — ele disse, e ao vê-lo esquecer a beleza das próprias mãos e voltar para mim o lado feio do rosto no desejo de ajudar, comecei a falar sobre aquela noite, a bomba caindo e a estúpida promessa. — E você realmente acredita — ele prosseguiu — que talvez...

— Sim.

— Pense nas milhares de pessoas no mundo que estão rezando agora e que não serão atendidas em suas preces.

— Havia milhares de pessoas morrendo na Palestina quando Lázaro...

— Nós não acreditamos nessa história, não é, eu e você? — ele disse, com uma espécie de cumplicidade.

— É claro que não. Mas milhões de pessoas acreditaram. Elas devem tê-la achado razoável...

— As pessoas não exigem que as coisas sejam razoáveis quando suas emoções são despertadas. Os amantes não são razoáveis, são?

— Você também pode explicar o amor? — perguntei.

— Oh, sim — ele disse. — Em alguns o desejo de possuir, como a avareza; em outros, o desejo de se entregar, de perder a noção de responsabilidade, o desejo de ser admirado. Às vezes apenas o desejo de conversar, de descarregar em alguém que não vai se entediar. O desejo de encontrar de novo um pai ou uma mãe. E, é claro, debaixo de tudo isso o motivo biológico.

Eu pensei, é tudo verdade, mas não existe alguma coisa mais? Eu desencavei tudo isso em mim mesma, em Maurice também, mas não consegui chegar até o fundo.

— E o amor de Deus? — perguntei.

— É a mesma coisa. O homem fez Deus à sua imagem, então é natural que O ame. Você conhece esses espelhos que distorcem a imagem nos parques de diversões. O homem fez também um espelho embelezador no qual se vê belo, poderoso, justo e sábio. É a idéia que tem dele mesmo. Ele se reconhece aí mais facilmente do que no espelho que distorce, que só consegue fazê-lo rir, mas como ele se ama no outro.

Quando mencionou os dois espelhos, esqueci-me do que falávamos e pensei em todas as vezes, desde a adolescência, em que ele se teria olhado em espelhos e tentado fazê-los embelezadores e não distorcidos, simplesmente movendo a cabeça. Imaginei por que ele não tinha deixado a barba crescer para esconder as manchas; será que o cabelo não crescia ou ele detestava qualquer disfarce? Tinha a idéia de que era um homem que amava realmente a verdade, mas lá estava novamente a palavra amor, e era óbvio demais que seu amor à verdade podia ser dividido em muitos desejos. Uma compensação pela ofensa do seu nascimento, o desejo de poder, o desejo de ser extraordinariamente admirado já que aquele pobre rosto malassombrado jamais provocaria um desejo físico. Tive um enorme desejo de tocá-lo, de confortá-lo com palavras de amor tão permanentes quanto a ferida. Como no momento em que vi Maurice sob a porta. Quis rezar: para oferecer algum sacrifício imoderado para que pudesse curá-lo, mas não havia sobrado sacrifício a oferecer.

— Minha cara — ele disse —, deixe a idéia de Deus fora disso. É apenas uma questão do seu amante e do seu marido. Não misture com fantasmas.

— Mas como decidir, se o amor não é uma coisa real?

— Você tem que decidir o que vai lhe fazer mais feliz a longo prazo.

— Você acredita em felicidade?

— Não acredito em nada absoluto.

Eu pensei: a única felicidade que ele consegue é a idéia de que pode confortar, dar conselhos, ajudar — a idéia de que pode ser útil. Isto o leva todas as semanas para o Common para falar a pessoas que se afastam, deixando seu cartão cair no chão. Quantas vezes alguém realmente o procura como fiz hoje? Perguntei a ele:

— Você é muito procurado?

— Não — ele respondeu. O seu amor à verdade era maior do que o seu orgulho. — Você é a primeira, após longo tempo.

— Foi bom conversar com você — eu disse. — Você clareou bastante a minha cabeça. — Era este o único conforto que alguém podia oferecer-lhe: alimentar sua ilusão.

Ele disse timidamente:

— Se você dispuser de tempo, poderíamos realmente começar do começo e ir até a raiz das coisas. Os argumentos filosóficos e a evidência histórica.

Acho que dei uma resposta um tanto evasiva, pois ele continuou:

— É realmente importante. Não devemos desprezar os nossos inimigos. Eles têm um argumento.

— Têm?

— Não é um argumento sólido, exceto superficialmente. É falacioso.

Ele me olhou com ansiedade. Acho que estava imaginando se eu iria desaparecer. Parecia um pedido insignificante, quando ele disse, nervoso:

— Uma hora por semana. Poderia ajudá-la muito. — E pensei

eu: não tenho todo o tempo do mundo, agora? Posso ler um livro ou ir ao cinema, mas não consigo entender as palavras nem prestar atenção aos filmes. Eu e minha própria infelicidade são as únicas coisas que consigo ver e ouvir. Por alguns instantes, esta tarde, esqueci-me delas.

— Está bem — eu disse. — Posso vir. Você está sendo bondoso em me dar este tempo... — disse isto, depositando nele toda a esperança que me restava, pedindo ao Deus do qual ele estava prometendo me desvencilhar: — Permita que eu possa ajudá-lo.

2 de outubro de 1945

Estava muito quente hoje e caiu uma chuvarada. Então fui até uma igreja na esquina de Park Road para sentar-me um pouco. Henry estava em casa e não queria vê-lo. Tento lembrar-me de ser gentil no café, no almoço quando ele está em casa, no jantar, e às vezes me esqueço e ele é gentil comigo. Duas pessoas sendo gentis uma com a outra a vida inteira. Quando entrei e me sentei, percebi que era uma igreja católica, cheia de estátuas de gesso de um estilo realista esteticamente desqualificado. Odiei as estátuas, o crucifixo, toda a ênfase no corpo humano. Estava tentando escapar do corpo humano e de todas as suas necessidades. Achei que poderia acreditar em alguma espécie de deus que não tivesse relação conosco, uma coisa vaga, amorfa, cósmica, à qual eu havia prometido algo e que me havia dado algo de volta — projetando-se do espaço para o interior de uma vida humana, como uma névoa poderosa movendo-se entre cadeiras e paredes. Um dia eu também me tornaria parte desta névoa e escaparia de mim mesma para sempre. Então entrei naquela igreja escura em Park Road e vi os corpos ao meu redor, em todos os altares — as horríveis estátuas de gesso com seus rostos complacentes, e lembrei-me de que eles acreditavam na ressurreição do corpo, o corpo que eu queria destruir para sempre. Eu tinha cometido tantos pecados com esse corpo. Como poderia querer preservá-lo para a eternidade? E, de repente, lembrei-me de uma frase de Richard — sobre os seres humanos inventarem doutrinas para satisfazer seus desejos, e achei que ele estava totalmente errado. Se eu fosse inventar uma doutrina, seria a de que o corpo não renasceria nunca, apodreceria com os vermes. É estranho como a mente humana consegue divagar de um extremo a outro. Será que a verdade está em algum ponto deste pêndulo, num ponto em que ele nunca se detém, não naquele ponto central onde fica parado como uma bandeira quando não há vento, mas em algum ângulo, mais perto de um extremo do que do outro? Se ao menos um milagre pudesse fazer o pêndulo parar a um ângulo de sessenta graus, a gente poderia acreditar que ali estaria a verdade. Bem, o pêndulo se moveu hoje e, ao invés do meu corpo, pensei no de Maurice. Pensei em certas linhas que a vida lhe havia colocado no rosto, tão pessoais quanto uma linha de seus livros. Numa cicatriz de seu ombro que não existiria se ele não tivesse protegido o corpo de um outro homem de uma parede que desabava. Ele não me contara por que havia passado aqueles três dias no hospital. Foi Henry quem me contou. Aquela cicatriz fazia parte de seu caráter tanto quanto o ciúme. Então pensei se queria que aquele corpo se transformasse em névoa (o meu sim, mas o dele?), e vi que queria que aquela cicatriz continuasse a existir por toda a eternidade. Mas minha névoa poderia amar aquela cicatriz? Então, comecei a querer o meu corpo, que eu detesto, só porque era possível que ele amasse aquela cicatriz. Nós podemos amar com as nossas mentes, mas será que podemos amar apenas com nossas mentes? O amor se expande o tempo todo, de tal forma que podemos amar até com nossas unhas insensíveis, amamos até com as nossas vestes pois a manga de uma roupa pode sentir outra manga.

Richard está certo, pensei. Inventamos a ressurreição do corpo porque precisamos de nossos próprios corpos, e assim que admiti que ele estava certo, que isto era um conto de fadas que contamos uns aos outros para nos confortar, não mais senti ódio daquelas estátuas. Eram apenas figuras coloridas, malfeitas, em Hans Andersen; eram como poesia de má qualidade, mas alguém precisara escrevê-las, alguém que não era orgulhoso a ponto de escondê-las, sem expor sua imbecilidade. Caminhei pela igreja, olhando-as uma de cada vez; em frente à pior de todas — não sei de que santo era — um homem de meia-idade estava rezando. Ele havia colocado seu chapéu-coco no chão ao seu lado, e dentro do chapéu, embrulhados em jornal, havia alguns talos e aipo.

É claro, no altar também havia um corpo — um corpo muito familiar, ainda mais familiar que o de Maurice — que eu nunca havia visto antes como um corpo, com todas as suas partes, mesmo as partes cobertas pela tanga. Lembrei-me de um corpo de uma igreja espanhola que havia visitado com Henry, cujo sangue de tinta vermelha escorria dos olhos e das mãos. Aquilo tinha me feito mal. Henry queria que eu admirasse as colunas do século doze, mas me sentia mal e queria sair para o ar livre. A meu ver, aquelas pessoas adoravam a crueldade. Uma névoa não poderia chocar alguém com sangue e lágrimas.

Quando estávamos na praça, disse a Henry:

— Não consigo suportar todas essas feridas pintadas. — Henry foi muito razoável, ele é sempre razoável. Ele disse:

— Obviamente trata-se de uma crença muito materialista. Muito mágica...

— A mágica é materialista? — perguntei.

— É. Olho de salamandra e perna de sapo, dedo de bebê que nasce estrangulado pelo cordão umbilical. Não pode haver materialismo maior que este. Na missa ainda se acredita em transubstanciação.

Eu sabia aquilo tudo, mas achava que havia, de certa forma, se extinguido com a Reforma, exceto para os pobres, é claro. Henry me esclareceu (quantas vezes Henry esclareceu minhas idéias confusas).

— Materialismo não é uma atitude exclusiva dos pobres — disse. — Alguns dos cérebros mais privilegiados foram materialistas: Pascal, Newman. Tão sutis em alguns aspectos, tão grosseiramente supersticiosos em outros. Um dia talvez a gente saiba por quê: pode ser uma deficiência glandular.

E hoje olhei para aquele corpo material naquela cruz material e pensei como o mundo conseguira colocar uma névoa ali? Uma névoa, evidentemente, não sentia dor e nem prazer. Apenas a minha superstição imaginava que ela poderia atender às minhas preces. Querido Deus, dissera. E deveria ter dito, Querida Névoa. Eu dissera: eu te odeio, mas como se pode odiar uma névoa? Eu podia odiar aquela figura na Cruz que reclamava a minha gratidão? — "Sofri isto por você", mas uma névoa... E, no entanto, Richard não acreditava sequer em uma névoa. Odiava uma fábula, lutava contra uma fábula, levava a sério uma fábula. Eu não podia odiar João e Maria, não podia odiar a casinha de açúcar como ele odiava a lenda do paraíso. Quando eu era criança, podia odiar a rainha má da Branca de Neve, mas Richard não odiava o seu demônio de conto de fadas. O Demônio não existiu, Deus não existiu, mas seu ódio era contra o bom conto de fadas, não o mau. Por quê? Eu olhei aquele corpo tão familiar, me contorci com uma dor imaginária, deixando a cabeça pender como se estivesse adormecido. Algumas vezes eu odiei Maurice, mas será que o teria odiado se não o tivesse também amado? Oh, Deus, se eu pudesse realmente odiá-Lo, o que isto significaria?

Serei, afinal de contas, materialista? Terei alguma deficiência glandular que me faça tão desinteressada das coisas e das causas realmente importantes e destituídas de superstição — como a Comissão de Caridade, o índice do custo de vida e a campanha de mais calorias para os trabalhadores? Serei eu materialista por acreditar na existência independente daquele homem de chapéu-coco, do metal da cruz, dessas mãos com as quais não consigo rezar? Suponha que Deus tenha realmente existido, suponha que tenha sido um corpo como este, o que há de errado em acreditar que seu corpo existiu? Poderia alguém amá-Lo ou odiá-Lo se Ele não tivesse tido um corpo? Não posso amar a névoa que foi Maurice. Sei que isto é grosseiro, brutal e materialista, mas por que não deveria ser grosseira, brutal e materialista? Saí da igreja louca de raiva, e, para desafiar Henry e todas as pessoas razoáveis e imparciais, fiz o mesmo que faziam as pessoas nas igrejas espanholas: mergulhei o dedo na tal da água benta e fiz uma cruz em minha testa.

6

10 de janeiro de 1946

NÃO CONSEGUI FICAR em casa esta noite e saí na chuva. Lembrei-me do dia em que enterrei as unhas na mão, e sem que soubesse, Você se misturara à dor. Eu disse: "Permita que ele esteja vivo", sem acreditar em Você, e a ausência de fé não fez diferença para Você. Você envolveu minha descrença com Seu amor e aceitou-a como uma oferenda, e nesta noite a chuva ensopou meu casaco, minhas roupas e penetrou em minha pele; tremi de frio e pela primeira vez eu quase O amei. Passei por baixo de Suas janelas na chuva e tive vontade de ficar sob elas a noite inteira, só para mostrar que, afinal de contas, poderia aprender a amar e não mais teria medo do deserto porque Você estaria lá. Voltei para casa e Maurice estava lá com Henry. Era a segunda vez que Você o trazia de volta: da primeira vez eu O havia odiado por isto e Você absorvera meu ódio como tinha absorvido minha descrença no Seu amor. E os guardou para mostrá-los mais tarde, para que ambos pudéssemos rir — como ri algumas vezes com Maurice, dizendo: "Você se lembra de como éramos estúpidos...?"

7

18 de janeiro de 1946

Eu IA ALMOÇAR COM Maurice pela primeira vez em dois anos — tinha telefonado e pedido a ele para encontrar-se comigo. O ônibus ficou retido no trânsito em Stockwell e me atrasei dez minutos. Por um instante, senti o mesmo medo antigo de que alguma coisa estragasse o dia, de que ele se zangasse comigo. Mas não desejara antecipar minha raiva à dele. Como diversas outras coisas, a capacidade de sentir raiva parecia extinta em mim. Queria vê-lo e indagar-lhe sobre Henry. Henry andava esquisito ultimamente. Fora estranho de sua parte sair e beber num bar com Maurice. Henry só bebe em casa ou em seu clube. Achei que talvez tivesse conversado com Maurice. Estranharia se estivesse preocupado comigo. Nunca houve menos motivo para preocupação, desde que nos casamos. Mas quando me vi diante de Maurice, pareceu-me não haver outra razão para estar com ele exceto sua própria companhia. Não descobri nada sobre Henry. De vez em quando, ele tentava me agredir e conseguia, porque estava, na realidade, agredindo a si mesmo. Não suporto vê-lo ferir a si mesmo.

Terei quebrado minha velha promessa, almoçando com Maurice? Há um ano, teria achado que sim, mas, hoje, já não acho. Eu levava as coisas muito ao pé da letra naquela época porque tinha medo, porque não sabia do que se tratava, porque não confiava no amor. Almoçamos no Rules e senti-me feliz só por estar a seu lado. Só me senti infeliz por um momento, ao dizer adeus por sobre a grade, pois pensei que ele me beijaria de novo, e o desejei. Mas tive um acesso de tosse e o momento passou. Percebi, quando se afastou, que ele estava supondo coisas absolutamente falsas e que isto o magoava e fiquei triste com sua mágoa.

Eu queria chorar sem ser observada. Fui para a National Portrait Gallery, mas era dia de visita de estudantes e havia muita gente. Voltei para Maiden Lane e entrei na igreja, sempre escura demais para que se veja quem está a seu lado. Sentei-me. Estava vazia. Além de mim, havia apenas um homenzinho que entrou e rezou silenciosamente num banco mais atrás... Lembrei-me da primeira vez que havia estado numa dessas igrejas e quanto a havia odiado. Não rezei. Já havia rezado demais. Disse a Deus, como poderia ter dito a meu pai, se me lembrasse que tive um pai: querido Deus, eu estou cansada.

3 de fevereiro de 1946

Hoje vi Maurice mas ele não me viu. Ele estava a caminho do "Pontefract Arms", e o segui. Tinha passado uma hora em Cedar Road — uma longa e cansativa hora tentando seguir os argumentos de Richard, mas sentindo apenas o inverso da fé. Poderia alguém ser tão sério e ter tantos argumentos em relação a uma lenda? Quando prestava atenção em alguma coisa era um fato novo que eu desconhecia e que mal lhe reforçava o ponto de vista. Como a prova de que existira um homem chamado Cristo. Saí de lá cansada e desesperançada. Tinha ido a ele para livrar-me de uma superstição, mas cada vez o seu fanatismo mais me enraizava a superstição. Eu o ajudava, mas ele não me ajudava. Ou ajudava? Durante uma hora, quase não pensava em Maurice, mas subitamente lá estava ele atravessando a rua.

Eu o segui, sem perdê-lo de vista. Tantas vezes tínhamos ido juntos ao Pontefract Arms. Eu sabia a que bar iria e o que pediria. Será que devia ir atrás dele, pedir minha bebida, vê-lo se virar e começar tudo de novo? As manhãs seriam cheias de esperança porque poderia telefonar-lhe assim que Henry saísse, e haveria a expectativa das noites em que Henry me avisasse que chegaria tarde. Talvez agora deixasse Henry. Eu tinha feito o possível. Não tinha dinheiro para dividir com Maurice e seus livros lhe davam pouco mais do que o necessário para mantê-lo, mas, só de datilografia, com minha ajuda, poderíamos economizar cinqüenta libras por ano. Não temo a pobreza. Às vezes é mais fácil apertar o cinto do que deitar-se na cama que você mesma arrumou.

Fiquei parada na porta e observei-o indo para o bar. Se ele se virar e me vir, eu disse a Deus, vou entrar. Mas não se virou. Comecei a caminhar para casa, mas não consegui afastá-lo do pensamento. Por quase dois anos havíamos sido dois estranhos. Não soubera o que ele fazia em nenhuma hora do dia, mas agora ele não era mais um estranho. Eu sabia, como nos velhos tempos, onde ele estava. Tomaria mais uma cerveja e voltaria para o velho quarto para escrever. Seus hábitos ainda eram os mesmos e eu os amava como se ama um casaco velho. Sentia-me protegida por seus hábitos. Nunca desejei a aventura.

Pensei como seria fácil fazê-lo muito feliz. Desejei de novo vê-lo rir com alegria. Henry não estava. Tivera um almoço de negócios depois do escritório e tinha telefonado para dizer que só chegaria por volta de sete horas. Eu ia esperar até seis e meia e telefonaria para Maurice. Diria: vou aí passar esta noite e todas as outras noites com você. Estou cansada de ficar sem você. Arrumaria a mala grande, azul, e a pequena, marrom. Levaria roupas para um mês. Henry era civilizado e, depois de um mês, os aspectos legais já estariam resolvidos, a amargura inicial já teria passado, e qualquer outra coisa de que eu precisasse de casa poderia buscar com tranqüilidade. Não haveria muita amargura: não era como se ainda fôssemos amantes.

O casamento se transformara em amizade e a amizade, depois de algum tempo, podia continuar a mesma de antes.

De repente, senti-me livre e feliz. Não vou mais me preocupar com Você, eu disse para Deus enquanto atravessava o Common, se Você existe ou não, se Você deu uma segunda chance a Maurice ou se imaginei tudo isso. Talvez esta seja a segunda chance que eu pedi a ele. Vou fazê-lo feliz, esta é minha segunda promessa, Deus, e impeça-me se puder, impeça-me se puder.

Subi para o meu quarto e comecei a escrever para Henry. "Querido Henry", eu escrevi, mas me pareceu hipócrita. Querido soava falso. Tinha que ser como a um conhecido. "Caro Henry". E escrevi: "Caro Henry, tenho medo de que isto seja um choque para você, mas há cinco anos estou apaixonada por Maurice Bendrix. Há quase dois anos não nos vemos nem nos correspondemos, mas não adianta. Não posso ser feliz sem ele, por isto fui embora. Sei que não tenho sido uma esposa muito boa há muito tempo, e desde junho de 1944 que não sou sua amante. As coisas estão ruins para todos. Pensei que podia ter este caso e que ele iria acabar aos poucos, sem sofrimentos, mas isto não aconteceu. Amo Maurice mais do que amava em 1939. Fui infantil, acho, mas agora percebo que, mais cedo ou mais tarde, uma pessoa tem que fazer uma opção se não quiser criar problemas para todo mundo. Adeus. Deus o abençoe." Risquei "Deus o abençoe" com bastante força para que ele não conseguisse ler. Pareceu-me presunçoso e, além disso, Henry não acredita em Deus. Quis colocar Amor, mas a palavra me pareceu imprópria embora eu a soubesse verdadeira. Amo Henry realmente do meu modo indigno.

Coloquei a carta num envelope e escrevi "Estritamente Pessoal". Achei que isto alertaria Henry para não abri-la na presença de ninguém — pois ele podia trazer um amigo para casa, e não queria que seu orgulho fosse ferido. Apanhei a mala e comecei a arrumá-la. Então, de repente, me perguntei onde pusera a carta. Encontrei-a imediatamente mas supus que, em minha pressa, pudesse esquecer de colocá-la na entrada e Henry ficasse esperando a minha volta. Então, levei-a para baixo para colocá-la no vestíbulo. A mala estava quase pronta. Só faltava colocar um vestido de noite, e Henry só devia chegar dentro de meia hora.

Eu tinha acabado de colocar a carta na mesa da entrada, junto com a correspondência da tarde, quando ouvi a chave na fechadura. Tornei a apanhá-la, não sei por quê, e Henry entrou. Parecia doente e cansado. Ele disse: "Ah, você está aí?" e foi direto para o escritório. Esperei um instante e fui atrás dele. Pensei: vou ter que dar a carta para ele agora: vou precisar de mais coragem. Quando abri a porta, vi-o sentado ao lado da lareira que não se tinha dado ao trabalho de acender. Ele estava chorando.

— O que é, Henry? — perguntei. Ele disse:

— Nada. Estou com muita dor de cabeça, só isso.

Acendi o fogo para ele e disse:

— Vou buscar um analgésico para você.

— Não se incomode — ele disse —, já estou melhor.

— Como foi seu dia?

— Ah, o mesmo de sempre. Um pouco cansativo.

— Com quem você almoçou?

— Com Bendrix.

— Bendrix? — perguntei.

— Por que não? Ele me convidou para almoçar no seu clube. Um almoço horrível.

Aproximei-me por trás dele e coloquei a mão em sua testa. Era estranho fazer isso no exato momento de deixá-lo para sempre. Ele costumava fazer o mesmo comigo logo que nos casamos. Eu tinha terríveis enxaquecas porque nada estava dando certo... E esqueci-me por um momento de que eu apenas fingia curar-me com aquele gesto. Ele levantou sua mão e apertou a minha com força de encontro à sua testa.

— Eu te amo — ele disse —, você sabe?

— Sim — eu disse. Eu podia tê-lo odiado por me dizer aquilo. Era como uma reivindicação. Se você me amasse realmente, pensei, se comportaria como qualquer outro marido enganado. Ficaria zangado e sua raiva me libertaria.

— Não posso viver sem você — ele disse. Oh, sim, você pode, eu quis protestar. Será desagradável, mas você pode. Você trocou de jornal uma vez e logo se habituou. Isso são palavras, palavras convencionais de um marido convencional, e não significam absolutamente nada; então olhei seu rosto no espelho e ele ainda estava chorando.

— Henry — eu disse —, o que está havendo?

— Nada. Eu já lhe disse.

— Não acredito em você. Aconteceu alguma coisa no escritório?

Ele respondeu com uma amargura incomum:

— O que poderia acontecer lá?

— Bendrix aborreceu você de alguma maneira?

— É claro que não. Como poderia?

Eu queria me livrar de sua mão mas ele me reteve. Tinha medo do que ele diria em seguida: da carga insuportável que ele estava pondo em minha consciência. Maurice já estaria em casa a esta hora. Se Henry não tivesse chegado, eu estaria com ele em cinco minutos. Teria visto alegria ao invés de tristeza. Se você não vê a tristeza, você não acredita nela. Pode-se causar sofrimento a qualquer pessoa à distância. Henry disse:

— Minha querida, eu não tenho sido um marido muito bom.

— Não sei o que você está querendo dizer com isto.

— Sou chato, meus amigos são chatos. Nós, você sabe, não fazemos mais nada juntos.

— Isto tem que terminar algum dia — eu disse — em qualquer casamento. Somos bons amigos. — Esta seria minha introdução. Quando ele concordasse, eu lhe entregaria a carta, lhe diria o que ia fazer e sairia de casa. Mas ele deixou passar a deixa, e ainda estou aqui. E a porta se fechou mais uma vez diante de Maurice. Só que desta vez não posso culpar a Deus. Eu mesma fechei a porta. Henry disse:

— Nunca poderei pensar em você como uma amiga. — Olhou-me então pelo espelho e disse: — Não me abandone, Sarah. Agüente mais alguns anos. Vou tentar... — mas ele não sabia o que iria tentar. Teria sido muito melhor para nós dois se eu o tivesse deixado anos atrás, mas não posso feri-lo em sua presença e agora ele estará sempre presente porque vi como é sua tristeza.

— Não vou deixá-lo. Prometo. — Mais uma promessa a cumprir. E quando acabei de fazê-la, não mais suportei ficar ali. Ele ganhara e Maurice perdera. Eu o odiava por esta vitória. Será que teria odiado Maurice se a situação fosse inversa? Subi e rasguei a carta em pedaços tão pequenos que seria impossível reconstituí-la. Empurrei a mala para debaixo da cama porque estava cansada demais para desarrumá-la, e comecei a escrever tudo isto. A dor de Maurice se reflete no que escreve: você pode ouvir seus nervos se retorcendo em suas frases. Bem, se a dor pode fazer um escritor, eu também posso aprender, Maurice. Gostaria de poder conversar com você só uma vez. Não posso conversar com Henry. Não posso conversar com ninguém. Querido Deus, deixe-me falar.

Ontem comprei um crucifixo, feio e barato porque precisava com urgência. Enrubesci quando o pedi. Alguém poderia ter-me visto na loja. Devia haver vidros opacos nas portas, como nas lojas de artigos de massagem. Quando tranco a porta do meu quarto, retiro-o do fundo da minha caixa de jóias. Gostaria de saber uma oração que não fosse eu, eu, eu. Ajude-*me*. Deixe-*me* ser feliz. Deixe-*me* morrer logo. Eu, eu, eu.

Deixe-me pensar naquelas marcas horríveis do rosto de Richard. Deixe-me ver o rosto de Henry com as lágrimas escorrendo. Deixe-me esquecer de mim. Querido Deus, tentei amar e fiz uma grande confusão. Se eu pudesse amá-Lo, saberia como amá-los... Acredito na lenda. Acredito que Você nasceu. Acredito que Você morreu por nós. Acredito que Você é Deus. Ensine-me a amar. Não me incomodo com minha dor. É a dor deles que não posso suportar. Deixe que minha dor continue, mas acabe com a deles. Querido Deus, se ao menos Você pudesse descer de Sua cruz por um tempo e deixar-me em Seu lugar. Se eu pudesse sofrer como Você, eu poderia curar como Você.

4 de fevereiro de 1946

Henry tirou um dia de folga no trabalho. Não sei por quê. Levou-me para almoçar e fomos à National Gallery. Depois jantamos cedo e fomos ao teatro. Era como um pai que busca seu filho na escola para passear. Mas o filho era ele.

5 de fevereiro de 1946

Henry está planejando umas férias no estrangeiro, na primavera. Não consegue decidir-se entre os castelos de Loire e a Alemanha, onde poderia fazer um relatório sobre o moral dos alemães sob o bombardeio. Não quero que a primavera chegue. Lá vou eu de novo. Quero. Não quero. Se pudesse amá-Lo, poderia amar Henry. Deus fez-se homem. Ele foi Henry com seu astigmatismo, Richard com suas marcas, e não apenas Maurice. Se pudesse amar as feridas de um leproso, não poderia amar a chatice de Henry? Mas eu me afastaria do leproso, assim como me mantenho longe de Henry. Quero o dramático, sempre. Imagino que estou preparada para a dor dos Seus pregos, e não consigo suportar sequer vinte e quatro horas de mapas e de guias Michelin. Querido Deus, não tenho solução. Continuo a mesma cadela e a mesma impostora. Faça-me sumir de vista.

6 de fevereiro de 1946

Hoje tive uma cena horrível com Richard. Ele estava me falando das contradições das igrejas cristãs, e eu estava tentando prestar atenção sem conseguir. Ele notou e me perguntou, de repente:

— Para que você vem aqui? — E sem que pudesse conter-me, respondi:

— Para ver você.

— Pensei que você viesse para aprender. — E eu lhe disse que era isto que estava querendo dizer.

Ele não acreditou em mim, e pensei que seu orgulho estivesse ferido, que ele estivesse zangado, mas não estava. Levantou-se da cadeira de *chintz* e veio se sentar ao meu lado no sofá, de modo que eu não visse o lado marcado do seu rosto.

— Tem sido muito importante para mim vê-la toda semana — e percebi que ia se declarar a mim. Pôs a mão em meu pulso e perguntou: — Você gosta de mim?

— É claro, Richard — eu disse —, ou não estaria aqui.

— Você quer se casar comigo? — perguntou, e seu orgulho fez com que falasse como se estivesse me oferecendo mais uma xícara de chá.

— Henry poderia não concordar — eu disse, tentando levar na brincadeira.

— Nada fará você deixar Henry? — Eu pensei, com raiva: se não o deixei por Maurice, por que diabos o deixaria por você?

— Eu sou casada.

— Isto não significa nada para mim nem para você.

— Oh, sim. Significa, sim. — Eu teria que dizer-lhe em algum momento. — Eu acredito em Deus — eu disse — e em todo o resto. Você me ensinou a acreditar. Você e Maurice.

— Não compreendo.

— Você sempre disse que os padres o ensinaram a descrer. Bem, isto pode funcionar ao contrário também.

Ele olhou para suas lindas mãos — ele ainda as tinha — e disse muito devagar:

— Não me importo no que você acredita. Você pode acreditar em todas as baboseiras que quiser. Eu te amo, Sarah.

— Sinto muito — disse.

— Eu te amo mais do que odeio isto tudo. Se eu tivesse filhos com você, deixaria que você os pervertesse.

— Você não devia dizer isto.

— Não sou um homem rico. O único suborno que posso lhe oferecer é desistir de minha crença.

— Estou apaixonada por outra pessoa, Richard.

— Você não pode amá-lo tanto assim se se sente presa a esta promessa idiota.

Eu disse melancolicamente:

— Fiz o possível para quebrá-la, mas não consegui.

— Você acha que sou um idiota?

— Por que acharia?

— Por esperar que você amasse um homem assim. — E virou para mim o lado marcado do rosto. — Você acredita em Deus — ele disse —, isso é fácil. Você é linda. Você não tem nenhuma queixa, mas por que eu deveria amar a um Deus que fez isto a uma criança?

— Querido Richard — disse —, não há nada de tão horrível... — Fechei os olhos e encostei a boca em seu rosto. Senti-me mal por um momento porque tenho medo da deformidade, mas ele ficou ali quieto e me deixou beijá-lo. Pensei: estou beijando o sofrimento e o sofrimento Lhe pertence assim como a felicidade nunca Lhe pertencerá. Amo Você no seu sofrimento. Quase podia sentir o gosto de metal e sal na pele, e pensei, como Você é bom. Você poderia ter-nos matado de felicidade, mas Você nos deixa participar de sua dor.

Eu o senti afastar-se repentinamente e abri os olhos. Ele disse:

— Adeus.

— Adeus, Richard.

— Não torne a voltar — ele disse —, não posso suportar sua piedade.

— Não é piedade.

— Eu fiz papel de idiota.

Saí. Não adiantava ficar. Não podia dizer-lhe que o invejava por carregar a marca do sofrimento na face, por ver Você no espelho todo o dia, ao invés desta coisa humana sem graça que chamamos beleza.

10 de fevereiro de 1946

Não sinto necessidade de Lhe escrever nem de Lhe falar. Foi assim que comecei uma carta para Você tempos atrás; tive vergonha de mim mesma e rasguei-a, pois me parecia uma grande bobagem escrever uma carta para Você, que sabe de tudo antes mesmo que nos venha à mente. Será que eu amei Maurice tanto assim antes de O amar? Ou era Você quem eu realmente amava o tempo todo? Será que tocava em Você quando tocava nele? Poderia ter tocado em Você se não tivesse primeiro tocado nele, de uma forma que nunca toquei em Henry nem em ninguém? Ele me amava e me tocava como nunca havia amado ou tocado outra mulher. Mas era a mim que ele amava ou a Você? Pois ele odiava em mim as mesmas coisas que Você odeia. Ele estava do Seu lado o tempo todo, sem saber. Você desejou nossa separação, mas ele também desejou. Ele lutou por isso com sua raiva e seu ciúme, e também com seu amor. Pois me deu tanto amor, e eu dei a ele tanto amor, que quando terminamos, nada restou, a não ser Você. Para nenhum de nós. Eu poderia ter passado a vida inteira vivendo um pouco de amor de cada vez, conseguindo um pouco aqui e ali, com um outro homem. Mas mesmo da primeira vez, no hotel próximo a Paddington, gastamos tudo o que tínhamos. Você estava lá, ensinando-nos a esbanjar, como ensinou ao homem rico, para que um dia não nos restasse nada além do amor por Você. Mas Você é bom demais para mim. Quando pedi que Você me desse sofrimento, Você me deu paz. Dê a ele também. Dê-lhe a minha paz — ele precisa mais do que eu.

12 de fevereiro de 1946

Há dois dias tive uma enorme sensação de paz, tranqüilidade e amor. Ia ser feliz outra vez, mas, na noite passada, sonhei que estava subindo uma longa escada para encontrar com Maurice. Ainda estava feliz porque quando chegasse no alto faríamos amor. Gritei para ele que estava chegando, mas não foi sua voz que me respondeu; foi uma voz estranha que soava como uma sirene de nevoeiro chamando navios perdidos, e me assustei. Pensei: ele saiu do apartamento, partiu e não sei onde está. Ao descer as escadas, a água chegava acima da minha cintura e o saguão estava cheio de névoa. Acordei. Não me sentia mais em paz. Simplesmente queria estar com ele como antigamente. Queria comer sanduíches com ele. Queria estar bebendo com ele num bar. Estou cansada e não quero mais sofrer. Quero Maurice. Quero o simples e corrupto amor humano. Querido Deus, Você sabe que quero querer Seu sofrimento, mas não agora. Afaste-o de mim por algum tempo e devolva-o a mim em outra ocasião.

LIVRO QUATRO

LIVRO QUATRO

1

Não consegui ler mais nada. Várias vezes saltei passagens que me feriam muito. Quisera ter descoberto mais a respeito de Dunstan, embora não muito, mas agora que li as anotações, tudo ficou para trás, como uma data sem importância na história. Não tinha importância para o presente. A anotação que registrei tinha apenas uma semana: "Quero Maurice. Quero o simples e corrupto amor humano."

É a única coisa que posso dar a você, pensei. Não conheço outro tipo de amor, mas se você acha que o esgotei, está enganada. Ainda há muito para nós dois, e pensei naquele dia em que ela fizera a mala e eu trabalhava aqui, sem saber que a felicidade estava tão próxima. Eu estava contente de não ter sabido e estava contente de saber. Agora podia agir. Dunstan não importava. O diretor da prisão não importava. Fui para o telefone e disquei seu número.

A empregada atendeu. Eu disse:

— Aqui é o Sr. Bendrix. Quero falar com a Sra. Miles. — Ela me disse para esperar. Eu estava sem fôlego como se fosse o fim de uma longa corrida. Esperava pela voz de Sarah, mas a voz que veio foi da empregada dizendo-me que a Sra. Miles não estava. Não sei por que não acreditei. Esperei cinco minutos, e, com um lenço sobre o bocal do telefone, tornei a ligar. — O Sr. Miles está?

— Não, senhor.

— Eu poderia então falar com a Sra. Miles? Aqui é o Sr. William Mallock.

Houve uma pequena pausa até que Sarah atendeu:

— Boa-noite, aqui é a Sra. Miles.

— Eu sei — disse —, conheço a sua voz, Sarah.

— Você... Eu pensei...

— Sarah — disse —, eu vou aí ver você.

— Não, por favor. Escute, Maurice, estou de cama. É de onde estou lhe falando.

— Melhor ainda.

— Não seja bobo, Maurice. Estou doente.

— Então você vai ter que me ver. O que há, Sarah?

— Oh, nada. Uma gripe forte. Escute, Maurice. — Ela espaçou as palavras devagar como uma governanta, o que me irritou. — Por favor, não venha. Não posso ver você.

— Te amo, Sarah, e vou aí.

— Não estarei aqui. Vou me levantar. — Eu pensei: se correr, vou levar apenas quatro minutos para atravessar o Common, ela não vai se vestir tão depressa. — Vou dizer à empregada que não deixe ninguém entrar.

— Ela não é um leão-de-chácara. Ela terá de atirar-me para fora, Sarah.

— Por favor, Maurice... Estou lhe pedindo. Há muito tempo não lhe peço nada.

— Exceto um almoço.

— Maurice, não estou bem. Não posso ver você hoje. Na semana que vem...

— Já houve um número enorme de semanas. Quero ver você agora. Esta noite.

— Por quê, Maurice?

— Você me ama.

— Como você sabe?

— Isso não importa. Quero lhe pedir que venha embora comigo.

— Mas, Maurice, posso responder pelo telefone. A resposta é não.

— Não posso tocar em você pelo telefone, Sarah.

— Maurice, meu querido, por favor. Prometa que não vem.

— Eu vou.

— Escute, Maurice, estou me sentindo muito mal. E a dor está muito forte esta noite. Não quero me levantar.

— Você não precisa se levantar.

— Eu juro que vou me levantar, me vestir e sair de casa, a não ser que você prometa...

— Isto é mais importante para nós dois do que um resfriado, Sarah.

— Por favor, Maurice, por favor, Henry vai chegar daqui a pouco.

— Deixe que ele chegue. — E desliguei.

Era uma noite pior do que aquela em que encontrei Henry um mês atrás. Era neve ao invés de chuva: estava começando a nevar e os pingos pareciam se enfiar pelas frestas do impermeável; obscureciam as lâmpadas do Common e era impossível correr. Por causa da minha perna, não posso correr muito. Deveria ter levado minha lanterna, pois levei oito minutos para chegar a casa, no lado norte. Estava descendo o meio-fio para atravessar a rua, quando a porta se abriu e Sarah saiu. E pensei, feliz, agora eu a tenho. Sabia, com absoluta certeza, que antes que a noite acabasse teríamos dormido juntos outra vez. Depois que isto ocorresse, qualquer coisa poderia acontecer. Nunca a havia conhecido tão bem antes e nunca a havia amado tanto. Quanto mais a gente conhece mais a gente ama, pensei. Eu voltara ao território da confiança.

Ela estava apressada demais para me ver do outro lado da larga avenida, com a neve que caía. Virou à esquerda e se afastou rapidamente. Pensei que precisaria sentar-se em algum lugar e então a alcançaria. Segui-a a vinte passos, mas ela não olhou para trás. Contornou o Common, passando pelo lago e pela livraria que fora bombardeada, como se fosse para o metrô. Bem, se necessário, conversaria com ela mesmo num trem cheio de gente. Ela desceu as escadas do metrô e foi até o guichê, mas não estava de bolsa, e não achou dinheiro no bolso — nem mesmo os poucos centavos que lhe permitiriam viajar continuamente até meia-noite. Tornou a subir as escadas e atravessou a rua por onde passavam os bondes. Um dos esconderijos havia fracassado, mas ela pensara, obviamente, em outro. Eu estava triunfante. Ela estava com medo, mas não com medo de mim; estava com medo de si mesma e do que iria acontecer quando nos encontrássemos. Senti que o jogo estava ganho e pude me permitir um pouco de piedade por minha vítima. Quis dizer a ela, não se preocupe, não há nada a temer, seremos ambos felizes muito em breve, o pesadelo está quase terminado.

E então a perdi. Tinha confiado demais e dera a ela uma larga vantagem. Ela atravessara a rua vinte metros à minha frente (minha perna me atrasou nas escadas), um bonde passou entre nós, e ela sumiu. Poderia ter virado à esquerda em High Street ou ter seguido em frente por Park Road, mas não a via. Não estava muito preocupado — se não a achasse hoje, acharia amanhã. Agora sabia de toda a história absurda da promessa, agora estava certo do seu amor, estava seguro. Se duas pessoas se amavam, dormiam juntas; era uma fórmula matemática, testada e comprovada pela experiência humana.

Havia um boliche em High Street. Entrei, mas não a encontrei. Então lembrei-me da igreja na esquina de Park Road e tive a certeza de que ela fora para lá. Segui em frente e, realmente, lá estava ela, sentada numa das partes laterais, perto de uma coluna e de uma estátua horrorosa da Virgem. Não estava rezando. Estava apenas sentada, de olhos fechados. Só pude vê-la por causa da luz das velas diante da estátua, pois o lugar estava muito escuro. Sentei-me atrás dela, como Parkis, e aguardei. Esperaria anos, agora que sabia o fim da história. Estava molhado, com frio e muito feliz. Podia até olhar com caridade em direção ao altar e à figura lá exposta. Ela nos ama a ambos, pensei, mas se houver um conflito entre a imagem e o homem, sei quem vai vencer. Eu podia pôr minha mão em sua coxa e minha boca em seu seio; ele estava aprisionado atrás do altar e não podia mover-se para defender *sua* causa.

De repente, ela começou a tossir, a mão crispada a seu lado. Vi que estava sofrendo e não pude deixá-la sofrer sozinha. Sentei-me ao lado dela e pus a mão em seu joelho enquanto tossia. Se ao menos tivéssemos o poder de curar com um toque. Quando o acesso passou, ela disse:

— Por favor, deixe-me em paz.

— Nunca vou deixá-la em paz — repliquei.

— O que houve com você, Maurice? Você não estava assim naquele dia, no almoço.

— Estava amargo. Não sabia que você me amava.

— Por que você acha que eu o amo? — ela perguntou, mas deixou minha mão em seu joelho. Contei a ela que o Sr. Parkis lhe tinha roubado o diário: não queria mais mentiras entre nós.

— Isto não foi correto — ela disse.

— Não. — E começou a tossir de novo; depois, em sua exaustão, encostou-se em mim.

— Minha querida — eu disse —, está tudo acabado agora. Isto é, a espera. Vamos embora juntos.

— Não — ela disse.

Pus o braço à sua volta e toquei seu seio.

— É aqui que começamos de novo — eu disse. — Fui um amante ruim, Sarah. Foi a insegurança que me causou isto. Não confiava em você. Não conhecia o bastante a seu respeito. Mas estou seguro agora.

Ela não disse nada, mas ainda se encostava em mim. Era como se concordasse. Eu disse:

— Vou lhe dizer o que faremos. Volte para casa e fique de cama por uns dois dias; você não vai poder viajar com uma gripe dessas. Vou telefonar todos os dias para saber como você está. Quando estiver melhor, vou ajudá-la a fazer suas malas. Não ficaremos aqui. Tenho um primo em Dorset que possui uma casa vazia que posso ocupar. Descansaremos lá por algumas semanas e poderei acabar meu livro. Depois, poderemos enfrentar os advogados. Precisamos de um descanso, nós dois. Estou cansado e não agüento mais ficar sem você, Sarah.

— Eu também. — Ela falou tão baixo que não teria ouvido a frase se não me fosse familiar, mas era como um tema que havia ecoado ao longo de nosso relacionamento, desde o primeiro encontro no hotel em Paddington. "Eu também" para solidão, tristeza, desilusões, prazeres e desesperos: o direito de partilhar tudo.

— O dinheiro vai ser curto — eu disse —, mas não tão curto. Fui incumbido de escrever a vida do General Gordon e o adiantamento é suficiente para nos mantermos por três meses, confortavelmente. Depois disso, entrego o romance e consigo um adiantamento por ele. Os dois livros sairão este ano e irão manter-nos até o próximo ficar pronto. Posso trabalhar, tendo você comigo. Sabe, a qualquer momento vou me dar bem. Ainda serei um sucesso barato e nós dois vamos odiar isso, mas poderemos comprar muitas coisas e ser extravagantes. E será divertido, porque estaremos juntos.

De repente, percebi que ela estava dormindo. Exausta da fuga, caíra adormecida em meu ombro como fizera tantas outras vezes em táxis, ônibus e bancos de parque. Fiquei quieto e deixei-a dormir. Nada a perturbaria na igreja escura. As velas tremulavam em volta da Virgem e não havia mais ninguém. A dor que senti na parte superior do braço, onde seu peso se concentrava, foi o maior prazer que já tive.

Dizem que as crianças se influenciam pelo que se diz a elas enquanto dormem, e comecei a falar baixinho com Sarah, com cuidado para não acordá-la, desejando que as palavras caíssem hipnoticamente em seu inconsciente.

— Eu te amo, Sarah — murmurei. — Ninguém jamais te amou tanto. Vamos ser felizes. Henry não se importará, exceto por seu orgulho, e o orgulho passa depressa. Ele encontrará um novo hábito para tomar o seu lugar: talvez passe a colecionar moedas gregas.

Nós vamos embora, Sarah, nós vamos embora. Ninguém pode nos impedir agora. Você me ama, Sarah. — E fiquei em silêncio, pensando se deveria comprar uma nova mala. Ela acordou tossindo.

— Eu dormi — ela disse.

— Você deve ir para casa agora, Sarah. Você está com frio.

— Lá não é minha casa, Maurice — ela disse —, não quero sair daqui.

— Está frio.

— Não me importo com o frio. E está escuro. Posso acreditar em qualquer coisa no escuro.

— Acredite apenas em nós.

— É isto que quero dizer. — Ela tornou a fechar os olhos e, olhando para o altar, pensei triunfante, quase como se ele fosse um rival de carne e osso: está vendo, esses são os argumentos que vencem, e movi o dedo gentilmente pelo seu seio.

— Você está cansada, não está? — perguntei.

— Muito cansada.

— Você não devia ter fugido de mim daquele jeito.

— Não era de você que estava fugindo. — Ela moveu o ombro. — Por favor, Maurice, vá embora agora.

— Você devia estar na cama.

— Eu vou já. Não quero voltar com você. Quero apenas dizer adeus aqui.

— Prometa que você não vai demorar.

— Prometo.

— E você vai me telefonar?

Ela balançou a cabeça, olhando a mão que estava no colo como algo jogado fora. Vi que ela tinha os dedos cruzados e perguntei, desconfiado:

— Você está me dizendo a verdade? — Descruzei seus dedos e disse: — Você está planejando escapar de mim de novo?

— Maurice, meu querido — ela disse —, nem tenho força suficiente. — E começou a chorar, esfregando os olhos como uma criança. — Sinto muito — prosseguiu: — Vá embora, por favor, Maurice, tenha um pouco de piedade.

A gente acaba cansando de insistir e atormentar: não podia continuar com aquele apelo em meus ouvidos. Beijei-a no alto da cabeça e procurei seus lábios, borrados e salgados, com o canto da boca. "Deus te abençoe", ela disse, e pensei que fora isto o que ela riscara na carta para Henry. Uma pessoa corresponde ao adeus de outra a não ser que seja um Smythe, e, involuntariamente, eu lhe repeti a bênção. Mas, ao me voltar da porta da igreja, e vendo-a ali encolhida à luz das velas como um mendigo que busca um pouco de calor, pude conceber um Deus que a abençoasse, um Deus que a amasse. Quando comecei a escrever nossa história, pensei estar escrevendo uma história de ódio, mas de algum modo o ódio se perdeu, e só sei que, apesar de seus erros e de sua irresponsabilidade, ela era melhor do que muita gente. É bom que alguém acredite nela, pois ela nunca acreditou.

2

Nos dias subseqüentes, tive que fazer um grande esforço para ser sensato. Agora estava trabalhando para nós dois. Para a manhã, estabeleci um mínimo de setecentos e cinqüenta palavras para o romance, mas geralmente já havia chegado a mil por volta das onze horas. É espantoso o efeito da esperança: o romance tinha-se arrastado por todo o ano anterior e agora estava quase terminado. Eu sabia que Henry saía para trabalhar por volta de nove e meia, e a hora mais provável de seu telefonema era dessa hora até meio-dia e meia. Henry começara a almoçar em casa (assim me disse Parkis); não havia chance de ela tornar a telefonar antes das três. Revisava meu trabalho do dia e fazia minha correspondência até meio-dia e meia, e então ficava livre, embora melancolicamente, da expectativa. Até duas e meia, podia matar o tempo na sala de leitura do Museu Britânico, fazendo anotações da vida do General Gordon. Ler e fazer anotações não me envolvia tanto como escrever o romance, e a imagem de Sarah se interpunha entre mim e a vida missionária na China. Por que me convidaram a escrever esta biografia? Freqüentemente me via imaginando. Deveriam ter escolhido um autor que acreditasse no Deus de Gordon. Eu podia apreciar a resistência obstinada em Khartoum — o ódio dos políticos a salvo em suas casas, mas a Bíblia sobre a mesa pertencia a outro mundo de idéias. Talvez o editor secretamente esperasse que minha cínica abordagem do cristianismo de Gordon causasse um *succès de scandale*. Não tinha a menor intenção de satisfazê-lo: este Deus era também o de Sarah, não ia jogar nenhuma pedra em qualquer fantasma que ela supusesse amar. Nesse período, não sentia ódio pelo seu Deus, pois afinal não tinha me mostrado mais forte?

Um dia, enquanto comia meu sanduíche, para o qual o meu lápis era sempre de algum modo transferido, uma voz familiar me cumprimentou da mesa ao lado, num tom baixo, respeitoso aos que trabalhavam em volta.

— Espero que esteja tudo bem agora, senhor, se o senhor me desculpar por esta intromissão.

Levantei os olhos para aquele bigode inesquecível e respondi:

— Muito bem, Parkis, obrigado. Quer um sanduíche ilícito?

— Oh, não, de jeito nenhum, senhor...

— Vamos, imagine que faça parte das despesas. — Com relutância, aceitou um e, abrindo-o, observou com uma espécie de horror, como se tivesse aceitado uma moeda e descobrisse que era de ouro.

— É presunto de verdade.

— Meu editor mandou-me uma caixa da América.

— É muito gentil de sua parte, senhor.

— Ainda tenho o seu cinzeiro, Parkis — sussurrei, pois meu vizinho me lançara um olhar furioso.

— Ele só tem valor estimativo — sussurrou Parkis em resposta.

— Como vai seu garoto?

— Um pouco enjoado, senhor.

— Estou surpreso de encontrá-lo aqui. Trabalho? Você com certeza não está vigiando nenhum de nós.

Não podia imaginar que algum dos empoeirados freqüentadores da sala de leitura — os homens que usavam chapéus e cachecóis no interior da sala para se aquecerem, o indiano que estava estudando penosamente a obra completa de George Elliot, ou o homem que adormecia todo dia ao lado de uma pilha de livros — pudessem estar envolvidos em algum drama de ciúme sexual.

— Oh, não, senhor. Não é trabalho. É meu dia de folga e o menino voltou às aulas hoje.

— O que você está lendo?

— Os Relatórios Policiais do *Times*, senhor. Hoje estou no caso Russell. Eles dão uma espécie de pano de fundo ao nosso trabalho. Abrem possibilidades. Afastam-nos dos detalhes supérfluos do dia-a-dia. Conheci uma das testemunhas deste caso. Uma vez trabalhamos no mesmo escritório. Bem, ele entrou para a história de uma forma que nunca conseguirei.

— Oh, nunca se sabe, Parkis.

— A gente sabe, senhor. Isto é que é desencorajador. O caso Bolton foi o máximo que consegui. A decretação da lei que proíbe o flagrante em casos de divórcio foi um golpe para a nossa profissão. O juiz nunca menciona nosso nome e geralmente tem preconceitos contra a profissão.

— Eu nunca tinha pensado nisto — disse com simpatia.

Até mesmo Parkis podia despertar minha saudade. Nunca poderia olhá-lo sem pensar em Sarah. Fui para casa de metrô com a esperança por companhia, e, sentado em casa, na expectativa do telefone tocar, vi minha companhia abandonar-me de novo: não seria hoje. Às cinco horas, disquei o número, mas assim que ouvi o chamado recoloquei o fone no gancho: talvez Henry tivesse voltado mais cedo e agora eu não podia falar com ele, porque era o vitorioso, Sarah me amava e queria abandoná-lo. Mas uma vitória adiada pode irritar tanto quanto uma derrota prolongada.

Oito dias se passaram antes que o telefone tocasse. Não foi na hora que esperava; foi antes de nove da manhã e quando eu disse alô foi Henry quem respondeu:

— É Bendrix? — ele perguntou. Havia alguma coisa muito esquisita em sua voz e achei que ela lhe contara tudo.

— Sim, sou eu.

— Aconteceu uma coisa horrível. Você precisa saber. Sarah morreu.

Como somos convencionais nessas horas! Eu disse:

— Sinto muito, Henry.

— Você vai fazer alguma coisa esta noite?

— Não.

— Gostaria que você viesse até aqui tomar um drinque. Não estou com coragem de ficar sozinho.

LIVRO CINCO

LIVRO CINCO

1

PASSEI A NOITE COM Henry. Era a primeira vez que dormia em sua casa. Havia apenas um quarto de hóspedes e Sarah estava lá (havia se mudado uma semana antes para não perturbar Henry com sua tosse). Dormi no sofá da sala de visitas onde fizéramos amor. Não queria passar a noite, mas ele me pediu.

Nós bebemos uma garrafa e meia de uísque. Lembro-me de Henry dizendo:

— É estranho, Bendrix, que não se tenha ciúme dos mortos. Ela só está morta há algumas horas, e, no entanto, eu quis você comigo.

— Você não tinha tanto motivo assim para ter ciúmes. Estava tudo acabado há muito tempo.

— Não preciso deste tipo de consolo agora, Bendrix. Nunca esteve acabado para nenhum de vocês. Eu tive sorte. Fiquei com ela todos esses anos. Você me odeia?

— Não sei, Henry. Pensei que odiasse, mas agora não sei.

Ficamos sentados no escritório com as luzes apagadas. O fogo não era suficiente para iluminar nossos rostos, de modo que soube quando Henry chorou apenas pelo tom de sua voz. O Arremessador de Disco nos mirava no escuro.

— Conte-me como aconteceu, Henry.

— Você se lembra daquela noite em que o encontrei no Common? Três ou quatro semanas atrás? Ela apanhou uma gripe forte naquela noite. Não quis se cuidar. Eu nem soube que tinha atingido o pulmão. Nunca contava este tipo de coisa — nem mesmo ao seu diário, pensei. Não escreveu sequer uma palavra sobre a doença. Ela não tinha tido tempo para ficar doente. — Ela ficou de cama no fim — prosseguiu Henry —, mas ninguém conseguia mantê-la em repouso e não me deixou chamar o médico. Ela nunca acreditou em médicos. Levantou-se e saiu há uma semana. Deus sabe para onde e por quê. Ela disse que precisava de exercício. Cheguei em casa e vi que ela não estava. Só voltou às nove horas, mais molhada que da primeira vez. Deve ter andado horas na chuva. Teve febre a noite inteira e ficou falando com alguém que não sei quem era: não era você nem eu, Bendrix. Depois disso eu a fiz ir ao médico. Ele disse que se ela tivesse tomado penicilina uma semana antes, a teria salvo.

Não havia nada que pudéssemos fazer a não ser beber. Pensei que havia pago a Parkis para seguir um estranho: o estranho tinha vencido afinal. Não, pensei, não odeio Henry. Odeio Você se Você existir. Lembrei-me do que ela tinha dito para Richard Smythe, que eu a tinha ensinado a acreditar. Não sabia como, mas pensar no que havia jogado fora me fez odiar a mim mesmo. Henry disse:

— Ela morreu às quatro horas da manhã. Eu não estava com ela. A enfermeira não me chamou a tempo.

— Onde está a enfermeira?

— Ela deixou tudo arrumado. Tinha outro caso urgente e saiu antes do almoço.

— Eu gostaria de poder ajudá-lo.

— Você está me ajudando ficando comigo. Foi um dia terrível, Bendrix. Você sabe, nunca tive que lidar com a morte antes. Sempre achei que morreria primeiro e que Sarah saberia o que fazer. Se ela ficasse comigo tanto tempo... De certa forma, é um trabalho feminino, como ter um filho.

— Suponho que o médico o tenha ajudado.

— Ele está ocupadíssimo neste inverno. Telefonou para um agente funerário. Eu não saberia o que fazer. Nunca tivemos um catálogo comercial. Mas um médico não pode me dizer o que fazer com suas roupas, os armários estão cheios. Pinturas, perfumes, a gente não pode simplesmente jogar fora. Se ao menos ela tivesse uma irmã... — Ele parou subitamente porque a porta da frente se abriu e fechou, como naquela outra noite em que ele dissera: "É a empregada" e eu dissera: "É Sarah." Ouvimos os passos da empregada subindo a escada. É extraordinário como uma casa pode parecer completamente vazia com três pessoas em seu interior. Bebemos nosso uísque e me servi de outro. — Tenho bastante em casa — Henry disse. — Sarah descobriu um novo fornecedor... — e tornou a parar. Ela estava em todos os caminhos. Não fazia sentido tentar evitá-la nem por um momento. Eu pensei: por que Você fez isto conosco? Se ela não tivesse acreditado em Você, estaria viva agora, nós ainda seríamos amantes. Era triste e estranho lembrar que não estava satisfeito com aquela situação. Eu agora a teria partilhado alegremente com Henry. Eu disse:

— E o funeral?

— Bendrix, não sei o que fazer. Aconteceu uma coisa muito esquisita. Quando estava delirando (claro que não estava em seu juízo perfeito), a enfermeira me contou que ela pedia um padre. Pelo menos ela dizia: "Pai, pai" e não podia ser seu pai. Ela nunca o conheceu. A enfermeira sabia que não éramos católicos. Foi bastante sensata. Tentou acalmá-la. Mas estou preocupado, Bendrix.

Pensei com raiva e amargura: Você poderia ter deixado o pobre Henry em paz. Vivemos anos sem Você. Por que Você começa de repente a Se intrometer em todas as situações como um parente desconhecido de volta das Antípodas?

Henry disse:

— Quando se mora em Londres, a cremação é o mais prático. Antes de a enfermeira me dizer isso, estava planejando cremá-la em Golders Green. O agente funerário ligou para o crematório. Eles podem encaixar Sarah depois de amanhã.

— Ela estava delirando — falei. — Você não deve levar em conta o que ela disse.

— Pensei se deveria falar com um padre a este respeito. Ela guardava tantas coisas para si mesma. Pelo que sei, pode ter-se convertido ao catolicismo. Andava tão estranha ultimamente.

— Oh, não, Henry. Ela também não acreditava em nada.

Eu queria que fosse queimada, queria poder dizer: "Ressuscite este corpo se puder." Meu ciúme não tinha terminado, como o de Henry, com a morte. Era como se ela ainda estivesse viva, na companhia de um amante que tinha preferido a mim. Como gostaria de poder mandar Parkis atrás dela para interromper a eternidade dos dois.

— Você tem certeza?

— Absoluta, Henry. — Tenho que ser cuidadoso, pensei. Não posso ser como Richard Smythe, não devo odiar, pois se odiasse, acreditaria, e se acreditasse, que triunfo para Você e para ela. Não passa de uma representação, falar sobre vingança e ciúme; é apenas uma coisa para ocupar o pensamento, para que eu possa esquecer a irremediabilidade da morte dela. Há uma semana, teria apenas que dizer-lhe: "Você se lembra da primeira vez que estivemos juntos e que eu não tinha moeda para pôr no medidor?", e a cena apareceria para nós dois. Agora ela aparecia só para mim. Ela tinha perdido para sempre todas as nossas lembranças, e era como se, morrendo, tivesse me roubado uma parte de mim mesmo. Estava perdendo minha individualidade. Era o primeiro estágio de minha própria morte, as lembranças me sendo arrancadas como membros gangrenados.

— Detesto toda essa história de orações e coveiros, mas se Sarah desejava isto, tentarei arranjar.

— Ela escolheu casar-se no cartório — disse. — Não ia querer seu enterro numa igreja.

— Não, acho que você tem razão.

— Cartório e cremação — disse — andam juntos — e, no escuro, Henry levantou a cabeça e me olhou como se suspeitasse de minha ironia. — Deixe-me resolver isto para você — sugeri, como havia sugerido, nesta mesma sala, ao lado do mesmo fogo, visitar o Sr. Savage em seu lugar.

— É muito gentil de sua parte, Bendrix. — Ele derramou o resto do uísque em nossos copos, cuidadosamente, em partes iguais.

— Meia-noite — eu disse —, você precisa dormir um pouco, se conseguir.

— O médico me deixou umas pílulas. — Mas ele ainda não queria ficar sozinho. Sabia exatamente como estava se sentindo, porque eu também, depois de passar um dia com Sarah, adiava o máximo possível a solidão do meu quarto.

— Sempre me esqueço de que ela está morta — disse Henry. E eu sentira isto também, em 1945, o ano ruim, esquecendo, ao acordar, que nosso caso havia terminado, que o telefone traria qualquer voz, menos a dela. Estivera tão morta naquela época como agora. Durante um mês ou dois naquele ano, um fantasma tinha-me atormentado com a esperança, mas o fantasma desaparecera e a dor logo terminaria. Morreria um pouco mais a cada dia, mas oh, como desejava poder reter a dor. Enquanto se sofre, se vive.

— Vá para a cama, Henry.

— Estou com medo de sonhar com ela.

— Você não vai sonhar se tomar as pílulas que o médico deixou.

— Você quer uma, Bendrix?

— Não.

— Você não quer passar a noite aqui? Está horrível lá fora.

— Não me importo com o tempo.

— Você me faria um grande favor.

— Claro que posso ficar.

— Vou trazer lençóis e cobertores.

— Não se incomode, Henry. — Mas ele já tinha ido. Olhei para o chão de tacos e lembrei-me do timbre exato do grito dela. Na mesa onde ela escrevia suas cartas, havia um monte de objetos, e cada objeto me parecia um código. Eu pensei: ela não jogou fora nem aquela pedra. Nós rimos da sua forma e lá está ela ainda, como peso de papéis. O que faria Henry com aquilo e com a miniatura de uma garrafa de licor de que nenhum de nós gostávamos, e o pedaço de vidro polido pelo mar, e o pequeno coelho de madeira que eu tinha achado em Nottingham? Será que eu devia levar todos aqueles objetos? Eles iriam parar na lata de lixo, quando Henry decidisse finalmente fazer uma arrumação, mas será que conseguiria suportar aquela companhia?

Eu os olhava quando Henry entrou, cheio de cobertores.

— Tinha me esquecido de dizer, Bendrix, se você quiser levar alguma coisa... Não acho que ela tenha deixado um testamento.

— É muito gentil de sua parte.

— Sou grato hoje a qualquer pessoa que a tenha amado.

— Vou levar esta pedra, se você não se incomodar.

— Ela guardava as coisas mais estranhas. Trouxe um par de pijamas para você, Bendrix.

Henry se esquecera de trazer travesseiro e, deitado com a cabeça numa almofada, pensei sentir seu perfume. Desejei coisas que nunca mais terei, não há substituto. Não podia dormir. Enterrei as unhas nas palmas das mãos, como ela havia feito, para que a dor impedisse o meu cérebro de trabalhar, e o pêndulo do meu desejo ficou balançando para frente e para trás, o desejo de esquecer e lembrar, de morrer e viver um pouco mais. E então, finalmente, adormeci. Estava subindo Oxford Street e estava preocupado porque tinha que comprar um presente e todas as lojas estavam cheias de bijuterias baratas, faiscando sob a luz embutida. Pensava ter visto algo bonito, mas quando me aproximava da vitrine, via a jóia de perto e percebia que era tão artificial quanto as outras, coisas como um pássaro verde horroroso, com olhos vermelhos simulando rubis. O tempo era curto e eu corria de uma loja para outra. Então, Sarah saiu de uma das lojas e vi que ela poderia ajudar-me.

— Você comprou alguma coisa, Sarah?

— Não aqui — ela disse —, mas eles têm umas garrafinhas lindas ali adiante.

— Não tenho tempo. Por favor, me ajude. Tenho que achar alguma coisa porque o aniversário é amanhã.

— Não se preocupe — ela disse. — Sempre se acha alguma coisa. Não se preocupe. — E, de repente, não me preocupei mais. Oxford Street se estendia num enorme campo cinzento, coberto de névoa, meus pés estavam descalços e eu andava sobre o orvalho, sozinho; e ao tropeçar numa raiz, acordei, ouvindo ainda, "Não se preocupe", como um sussurro dito ao pé do ouvido, um ruído de verão que pertence à infância.

Na hora do café, Henry ainda estava dormindo e a empregada a quem Parkis havia subornado trouxe-me café e torradas numa bandeja. Abriu as cortinas e a neve caía forte. Eu ainda estava tonto de sono, cheio de contentamento por causa do meu sonho, e fiquei surpreso de ver seus olhos vermelhos de tanto chorar.

— Algo errado, Maud? — perguntei, e só quando ela depositou a bandeja e saiu furiosa despertei realmente para a casa vazia e o mundo vazio. Levantei-me e fui ver Henry. Ele ainda estava nas profundezas de um sono drogado, sorrindo como um cachorro. Invejei-o. Então, desci e tentei comer uma torrada.

A campainha tocou e ouvi a empregada levando alguém para cima, o agente funerário, supus, porque pude ouvir abrirem a porta do quarto de hóspedes. Ele a está vendo morta; eu não a tinha visto, mas não tinha nenhuma vontade de vê-la assim, da mesma forma que não desejaria vê-la nos braços de outro homem. Alguns homens se excitam com isto, eu não. Ninguém me faria de alcoviteiro para a morte. Pus a cabeça no lugar e pensei: agora que tudo está mesmo acabado, tenho que recomeçar tudo. Apaixonei-me uma vez, posso me apaixonar de novo. Mas não estava convencido: parecia-me ter gasto todo o sexo que possuía.

Outra vez a campainha. Quanta coisa estava acontecendo enquanto Henry dormia. Desta vez Maud me procurou. Ela disse:

— Há um cavalheiro lá embaixo perguntando pelo Sr. Miles, mas não quero acordá-lo.

— Quem é?

— É aquele amigo da Sra. Miles — ela disse, pela primeira vez admitindo seu papel em nossa vil cumplicidade.

— É melhor você fazê-lo subir — eu disse. Eu me sentia muito superior a Smythe agora, sentado na sala de visitas de Sarah, usando o pijama de Henry, sabendo muito a seu respeito, enquanto ele nada sabia sobre mim.

Ele me olhou, confuso, e derramou neve no chão. Eu disse:

— Nós nos encontramos uma vez. Sou um amigo da Sra. Miles.

— Você tinha um garotinho com você.

— Isso mesmo.

Vim ver o Sr. Miles.

— Você já soube o que aconteceu?

— Foi por isto que vim.

— Ele está dormindo. O médico deu-lhe umas pílulas. Foi um choque horrível para todos nós — acrescentei tolamente. Ele estava olhando em volta da sala: em Cedar Road, vindo de lugar nenhum, ela havia sido tão irreal quanto um sonho. Mas esta sala dava-lhe uma dimensão: era Sarah também. A neve se acumulava lentamente na soleira da porta como terra que se amontoa com uma pá. A sala estava sendo enterrada como Sarah.

— Voltarei outra hora — disse ele, e se virou lentamente, de modo que o lado ruim do seu rosto ficou virado para mim. Pensei: foi ali que ela pousou seus lábios. Ela sempre caiu na armadilha da piedade. Ele repetiu estupidamente: — Vim ver o Sr. Miles e dizer o quanto eu sinto...

— É mais comum, nessas ocasiões, escrever.

— Achei que poderia ajudar em alguma coisa — disse debilmente.

— Você não precisa converter o Sr. Miles.

— Converter? — perguntou, espantado e constrangido.

— Sobre o fato de que nada mais resta. O fim. Aniquilação.

Ele desabafou de repente:

— Eu queria vê-la, só isso.

— O Sr. Miles nem sabe que você existe. É uma falta de consideração de sua parte, Smythe, vir até aqui.

— Quando é o funeral?

— Amanhã, em Golders Green.

— Ela não teria desejado isto — disse e me apanhou de surpresa.

— Ela não acreditava em nada, como você.

— Vocês não sabem? Ela estava se convertendo ao catolicismo.

— Bobagem.

— Ela me escreveu. Havia tomado uma decisão. Nada que eu pudesse dizer faria diferença. Ela estava iniciando a... instrução. Não é esta a palavra que eles usam?

Então ainda tinha segredos, pensei. Ela não colocou isto em seu diário, assim como não tinha escrito sobre sua doença. Quanta coisa mais haveria a descobrir? Esta idéia era desesperadora.

— Isto foi um choque para você, não foi? — zombei dele, tentando transferir-lhe minha dor.

— Oh, fiquei chateado, é claro. Mas não podemos acreditar todos nas mesmas coisas.

— Não era isto o que você costumava afirmar.

Ele me olhou, intrigado com meu antagonismo, e perguntou:

— Por acaso o seu nome é Maurice?

— É.

— Ela me falou sobre você.

— E eu li a seu respeito. Ela nos fez de idiotas.

— Agi impensadamente. Você não acha que posso vê-la? — perguntou. E ouvi as botas pesadas do agente funerário descerem a escada, e o ranger do mesmo degrau.

— Ela está lá em cima. A primeira porta à esquerda.

— Se o Sr. Miles...

— Você não vai acordá-lo.

Quando tornou a descer, eu já me havia vestido. Ele disse:

— Obrigado.

— Não me agradeça. Não sou dono dela mais do que você.

— Não tenho o direito de pedir — ele disse —, mas gostaria que... você a amou, eu sei — e acrescentou, como se estivesse engolindo um remédio muito ruim: — Ela o amava.

— O que você está tentando dizer?

— Gostaria que você fizesse uma coisa por ela.

— Por ela?

— Deixe que ela tenha um enterro católico. Ela teria gostado.

— Que diferença isto pode fazer?

— Acho que não faz diferença para ela, agora. Mas é sempre bom ser generoso.

— E o que tenho a ver com isso?

— Ela sempre disse que o marido tinha um grande respeito por você.

Ele estava chegando às raias do absurdo. Quis sacudir com meu riso a imobilidade desta sala enterrada. Sentei-me no sofá e comecei a rir às gargalhadas. Pensei em Sarah, morta lá em cima, em Henry, adormecido com um sorriso bobo nos lábios, e no amante com as marcas discutindo o enterro com o amante que tinha contratado o Sr. Parkis para cobrir de talco a sua campainha. As lágrimas corriam pelo meu rosto enquanto ria. Uma vez, durante um bombardeio, vi um homem rindo do lado de fora de sua casa, onde sua mulher e seu filho estavam soterrados.

— Não compreendo — disse Smythe. Ele estava com o punho direito fechado como se estivesse preparado para se defender. Havia tanta coisa que nenhum de nós entendia. O sofrimento era como uma explosão inexplicável que nos unira. — Eu já vou — disse e estendeu a mão esquerda para a maçaneta da porta. Uma estranha idéia me ocorreu, pois não tinha nenhum motivo para acreditar que ele fosse canhoto.

— Você deve desculpar-me — eu disse —, estou confuso. Estamos todos confusos. — Estendi-lhe a mão; ele hesitou e tocou-a com a esquerda. — Smythe — inquiri —, o que você tem aí? Você tirou alguma coisa do quarto dela? — Ele abriu a mão e me mostrou uma mecha de cabelo.

— Foi só isso — ele disse.

— Você não tinha esse direito.

— Ela não pertence mais a ninguém — disse, e, subitamente, me conscientizei do que ela era agora: um pouco de lixo esperando ser retirado; se você precisasse de um pouco de cabelo, podia apanhá-lo, ou cortar suas unhas se tivessem algum valor. Como os de uma santa, seus ossos podiam ser divididos, se alguém quisesse. Ela ia ser queimada em breve, então todos poderiam levar o que quisessem. Que idiota tinha sido durante três anos, imaginando que a havia possuído. Não somos possuídos por ninguém, nem mesmo por nós mesmos.

— Sinto muito — eu disse.

— Você sabe o que ela me escreveu? — Smythe perguntou. — Foi apenas há quatro dias — e pensei com tristeza que tivera tempo de escrever-lhe, mas não de me telefonar. — Ela escreveu "reze por mim". Isto não lhe parece estranho, pedir a *mim* para rezar por ela?

— E o que você fez?

— Quando soube que ela estava morta, rezei por ela.

— Você sabia alguma prece?

— Não.

— Não parece coerente rezar a um Deus em que não se acredita.

Saí junto com ele; não havia sentido em ficar lá até Henry acordar. Mais cedo ou mais tarde, ele teria que enfrentar a solidão, assim como eu. Fiquei observando Smythe atravessar o Common e pensei: um tipo histérico. A descrença podia ser produto da histeria, tanto quanto a fé. A umidade da neve derretida pelos passos de muitas pessoas atravessou as solas de meus sapatos e me fez lembrar do orvalho do meu sonho. Mas quando tentei lembrar-me da voz dela dizendo "Não se preocupe", percebi que não tinha memória para sons. Não conseguia reproduzir sua voz. Não podia sequer caricaturá-la: quando tentei recordá-la, ela era anônima — a voz de qualquer mulher. O processo de esquecê-la já havia começado. Devíamos guardar discos assim como guardamos retratos.

Subi os degraus quebrados da escada da frente. Só o vidro pintado era o mesmo daquela noite em 1944. Ninguém sabe o começo de nada. Sarah tinha acreditado realmente que o fim começou quando ela viu meu corpo inerte. Nunca teria admitido que o fim começara muito antes: menos telefonemas sem motivos, as brigas que provoquei porque percebera o perigo do fim do amor. Tínhamos começado a olhar para o além do amor, mas só eu percebi o modo como estávamos sendo levados. Se a bomba tivesse caído um ano antes, ela não teria feito aquela promessa. Teria arrancado as unhas tentando tirar-me dali. Quando esgotamos nossas possibilidades humanas, temos que nos iludir com a fé em Deus, como um *gourmet* que exige molhos cada vez mais complicados em sua comida. Olhei para o vestíbulo, vazio como uma cela, com aquela terrível pintura verde, e pensei: ela queria que eu tivesse uma segunda chance e aqui está ela: a vida vazia, inodora, anti-séptica, a vida de uma prisão. E a acusei como se as suas preces tivessem realmente operado a mudança: o que foi que lhe fiz para você me condenar a vida? Os degraus e o corrimão novos rangiam quando subíamos. Ela nunca os havia subido. Até os consertos da casa eram parte do processo de esquecimento. É preciso um Deus atemporal para lembrar quando tudo muda. Será que eu ainda amava ou sentia saudade de amar?

Entrei no meu quarto e, sobre a escrivaninha, havia uma carta de Sarah.

Ela estava morta há vinte e quatro horas e tinha estado inconsciente há mais tempo que isso. Como poderia uma carta levar tanto tempo para atravessar um espaço tão pequeno? Então percebi que ela errara o número e um pouco da velha amargura infiltrou-se em mim. Não teria esquecido o meu número, dois anos atrás.

A idéia de ver sua letra me trazia tanto sofrimento que joguei a carta no fogo, mas a curiosidade às vezes é mais forte que o sofrimento. A carta estava escrita a lápis, suponho que por ter sido escrita na cama.

"Meu querido Maurice", ela escreveu, "queria escrever na noite passada, depois que você foi embora, mas estava me sentindo muito mal quando cheguei em casa, e Henry fez um estardalhaço por causa disso. Resolvi escrever ao invés de telefonar, porque não posso telefonar e ouvir sua voz quando lhe disser que não vou embora com você. Porque não vou embora com você, Maurice, meu querido Maurice. Eu o amo, mas não posso vê-lo outra vez. Não sei como vou viver com esta dor e esta saudade e peço a Deus o tempo todo que não seja duro comigo, que não me mantenha viva. Querido Maurice, quero ter o meu prazer e gozá-lo como todo mundo. Procurei um padre há dois dias, antes de você me telefonar, e disse a ele que queria ser católica. Contei sobre minha promessa e sobre você. Disse-lhe que não estava mais realmente casada com Henry. Não dormimos juntos, desde o primeiro ano com você. Não foi um casamento de verdade, eu disse, não se pode chamar assim um casamento feito apenas no cartório. Perguntei se podia ser católica e me casar com você. Sabia que você não se importaria de participar dessa cerimônia. Toda vez que fazia uma pergunta tinha muita esperança; era como abrir as persianas de uma casa nova e olhar a vista. Mas cada janela dava para uma parede vazia. Não, não, não, ele disse, eu não podia casar com você, não podia continuar a vê-lo, se quisesse ser católica. Para o diabo com todos eles, pensei. Saí da sala e bati a porta para mostrar o que eu pensava dos padres. Eles estão entre Deus e nós, pensei; Deus tem mais misericórdia. Saí da igreja, vi o crucifixo e pensei: é claro, Ele tem misericórdia, só que é um tipo muito esquisito de misericórdia, às vezes mais parece um castigo. Maurice, meu querido, estou com uma dor de cabeça horrível e sinto vontade de morrer. Gostaria de não ser forte como um cavalo. Não quero viver sem você, e sei que um dia vou encontrá-lo no Common e não vou me importar nem um pouco com Henry, Deus ou qualquer outra coisa.

Mas o que adianta, Maurice? Acredito que existe um Deus — acredito na história toda, não há nada em que não acredite. Poderiam subdividir a Trindade em doze partes que acreditaria. Poderiam desencavar registros que provassem que Cristo era uma invenção de Pilatos para se autopromover e, ainda assim, acreditaria. A fé se entranhou em mim como uma doença. Do mesmo modo como me apaixonei. Nunca amara antes como o amo e nunca antes acreditei em nada como agora. Tenho certeza. Nunca tive certeza de nada. Quando você entrou por aquela porta com sangue no rosto, tive certeza. Para sempre. Mesmo sem saber disso na época. Lutei contra a fé mais tempo do que lutei contra o amor, mas não tenho mais forças para lutar.

"Maurice, querido, não fique zangado. Sinta pena de mim, mas não se zangue. Sou uma fraude e uma impostora, mas isto não é uma fraude. Eu me considerava segura a meu respeito e a respeito do que era certo ou errado, e você me ensinou a duvidar. Você me livrou de todas as mentiras e fingimentos, como se tira o entulho de uma estrada para que alguém importante possa passar e agora ele chegou, mas foi você quem abriu o caminho. Quando escreve, você procura a precisão; você me ensinou a desejar a verdade, e você me apontava quando eu não estava falando a verdade. Você realmente pensa assim? — você costumava dizer — ou apenas pensa que pensa assim? Então, como está vendo, é tudo culpa sua, Maurice, é tudo culpa sua. Peço a Deus que Ele não me mantenha viva desse jeito."

Não havia mais nada. Ela parecia ter o dom de conseguir que suas preces fossem ouvidas antes mesmo de dizê-las; pois não tinha começado a morrer naquela noite em que, molhada de chuva, me encontrou com Henry em sua casa? Se estivesse escrevendo um romance, encerraria aqui: um romance, eu costumava pensar, tem que terminar em algum ponto. Mas estou começando a acreditar que meu realismo tem sido falso todos esses anos, pois agora nada na vida parece terminar. Os químicos dizem que a matéria nunca é completamente destruída, e os matemáticos dizem que se, ao atravessar uma sala, você dividir cada passo em dois, nunca chegará do outro lado. Eu seria um otimista se achasse que esta história acaba aqui. Apenas, como Sarah, gostaria de não ser forte como um cavalo.

2

ATRASEI-ME PARA o funeral. Tinha ido à cidade encontrar-me com um homem chamado Waterbury que ia escrever um artigo sobre o meu trabalho para uma revista. Fiz cara-ou-coroa para ver se me encontrava com ele ou não: conhecia muito bem as frases pomposas de seus artigos, o sentido oculto que descobriria, mas eu desconheceria os erros com os quais estava cansado de me defrontar. No fim, condescendentemente, ele ia me situar provavelmente um pouco acima de Maugham, porque Maugham é popular e eu ainda não cometi este crime — ainda não, mas embora retenha um pouco da exclusividade do insucesso, as pequenas revistas, como os detetives espertos, podem farejar isto a seu modo.

Por que me dei ao trabalho de fazer cara-ou-coroa? Não queria encontrar-me com Waterbury e certamente não queria que escrevessem a meu respeito. Cheguei ao fim do interesse por meu trabalho: ninguém pode agradar-me com elogios ou ferir-me com críticas. Quando comecei aquele romance sobre o funcionário público, ainda me interessava, mas quando Sarah me deixou, vi o que meu trabalho realmente era — uma droga tão sem importância quanto o cigarro, que serve para nos fazer agüentar as semanas e os anos. Se desaparecemos com a morte, como ainda tento acreditar, por que haveria mais sentido em deixar alguns livros ao invés de garrafas, roupas ou bijuterias baratas? E, se Sarah estiver certa, como é sem importância toda a importância da arte. Fiz cara-ou-coroa, acho, simplesmente por solidão. Não tinha o que fazer antes do enterro: queria tomar coragem com um drinque ou dois (podemos não nos importar com o trabalho, mas nunca deixamos de nos importar com as convenções, e um homem não deve fraquejar em público).

Waterbury estava esperando num bar perto de Tottenham Court Road. Usava calças de veludo preto e fumava cigarros baratos. Estava com uma garota muito mais alta e mais bonita que ele, que usava o mesmo tipo de calça e fumava os mesmos cigarros. Era muito jovem e se chamava Sylvia, e via-se que apenas iniciara uma longa aprendizagem com Waterbury — encontrava-se no estágio de imitar o professor. Fiquei imaginando quando iria mudar aquela aparência, aqueles olhos alerta e bem-humorados e o cabelo de reflexos dourados. Será que ela ao menos se lembraria de Waterbury e do bar perto de Tottenham Court Road dali a dez anos? Senti pena dele. Estava muito orgulhoso, muito condescendente em relação a nós dois, mas estava no lado perdedor. Ora, pensei, olhando os olhos da garota por sobre o copo, enquanto Waterbury fazia um comentário especialmente presunçoso sobre o fluxo da consciência, eu poderia tirá-la dele agora. Os artigos dele eram encadernados em papel, mas meus livros eram encadernados em pano. Ela sabia que comigo aprenderia mais. No entanto, pobre-diabo, ele ainda tinha a coragem de ridicularizá-la quando, ocasionalmente, ela fazia um comentário simples, humano e não intelectual. Tive vontade de alertá-lo sobre o futuro vazio, mas em vez disso tomei outro copo e disse:

— Não vou poder ficar muito tempo. Tenho que ir a um enterro em Golders Green.

— Um enterro em Golders Green — exclamou Waterbury. — Como isto se identifica com seus próprios personagens. Tinha que ser em Golders Green, não é?

— Eu não escolhi o lugar.

— A vida imitando a arte.

— Era um amigo? — Sylvia perguntou com simpatia e Waterbury lançou-lhe um olhar de censura pela sua irrelevância.

— Era.

Percebi que ela estava especulando — homem? mulher? que tipo de amigo? E isto me agradou. Para ela, eu era um ser humano e não um escritor: um homem cujos amigos morrem, que vai a enterros, que sente prazer e dor, que pode até precisar de consolo, não apenas um artesão habilidoso cujo trabalho atrai mais simpatia do que os do Sr. Maugham, embora, é claro, não possamos considerá-lo superior a...

— O que você acha de Forster? — Waterbury perguntou.

— Forster? Oh, sinto muito. Estava pensando quanto tempo se leva para ir até Golders Green.

— Você deve dar uma margem de quarenta minutos — disse Sylvia. — Você tem que esperar um trem que vá para Edgware.

— Forster — Waterbury repetiu, irritado.

— Você tem que tomar um ônibus na estação — Sylvia disse.

— Francamente, Sylvia, Bendrix não veio aqui para discutir como se vai até Golders Green.

— Sinto muito, Peter, eu apenas pensei...

— Conte até dez antes de pensar, Sylvia — Waterbury disse. — E agora podemos voltar a E. M. Forster?

— Precisamos voltar? — perguntei.

— Seria interessante, já que vocês pertencem a escolas tão diferentes...

— Ele pertence a uma escola? Não sabia nem que eu pertencia a alguma. Você está escrevendo um livro didático?

Sylvia sorriu e ele percebeu. Senti, naquele momento, que ia afiar as garras, mas não me importava. A indiferença e o orgulho se assemelham muito e ele provavelmente me rotulou de orgulhoso. Eu disse:

— Realmente preciso ir.

— Mas só estamos aqui há cinco minutos. É importante que o artigo saia bom.

— É importante para mim não chegar muito atrasado em Golders Green.

— Não vejo por quê.

— Tenho que ir até Hampstead. Posso ensinar-lhe o caminho — disse Sylvia.

— Você não tinha me dito nada — disse Waterbury, desconfiado.

— Você sabe que sempre visito minha mãe às quartas-feiras.

— Hoje é terça.

— Então não vou precisar ir amanhã.

— É muita bondade sua — eu disse. — Apreciaria sua companhia.

— Você usou o fluxo da consciência num de seus livros — ele disse, numa pressa desesperada. — Por que abandonou este método?

— Oh, não sei. Por que se muda de apartamento?

— Você achou que foi um fracasso?

— Isso eu acho de todos os meus livros. Bem, até logo, Waterbury.

— Eu lhe mando uma cópia do artigo — disse ele, em tom de ameaça.

— Obrigado.

— Não se atrase, Sylvia. Há aquele programa do Bartók no Três às seis e meia.

Caminhamos juntos pelas ruínas de Tottenham Court Road. Eu lhe disse:

— Obrigado por acabar com a festa.

— Oh, vi que você estava querendo escapar — ela disse.

— Qual é seu sobrenome?

— Black.

— Sylvia Black — eu disse — é uma boa combinação. Quase boa demais.

— Era um grande amigo?

— Era.

— Uma mulher?

— Sim.

— Sinto muito — ela disse, e tive a impressão de que estava sendo sincera. Tinha muito a aprender sobre livro, música, como se vestir e falar, mas nunca precisaria aprender sobre a humanidade. Entrou comigo no metrô lotado e ficamos pendurados um ao lado do outro. Ao senti-la contra mim, me veio a melancolia do desejo. Será que seria assim agora? Em vez de desejo, apenas sua lembrança? Ela se virou para dar lugar a um novo passageiro em Goodge Street e ao sentir sua coxa de encontro à minha perna, parecia-me retomar a consciência de alguma coisa acontecida muito tempo antes.

— Este é o primeiro enterro a que eu vou em minha vida — eu disse, para puxar um assunto.

— Seu pai e sua mãe estão vivos?

— Meu pai está. Minha mãe morreu quando eu estava no colégio. Pensei que ia ter alguns dias de folga, mas meu pai achou que isto me atrapalharia. Não consegui nada, a não ser uma dispensa da escola preparatória na noite em que chegou a notícia.

— Eu não gostaria de ser cremada — ela disse.

— Você prefere os vermes.

— Prefiro.

Nossas cabeças estavam tão juntas que podíamos conversar sem levantar a voz, mas não podíamos nos olhar por causa da pressão das outras pessoas. Eu disse:

— Para mim não faria nenhuma diferença — e me perguntei imediatamente por que me havia dado ao trabalho de mentir, pois *fizera* diferença, deve ter feito diferença, pois fui eu, afinal, quem convenceu Henry a não enterrá-la.

3

NA TARDE ANTERIOR, Henry tinha vacilado. Ele me telefonara pedindo que fosse até lá. Era estranho como nos havíamos aproximado com a morte de Sarah. Agora se apoiava em mim como antes tinha se apoiado em Sarah — eu era uma pessoa conhecida na casa. Tive até a pretensão de imaginar se me convidaria para dividir a casa com ele quando acabassem os funerais e o que lhe responderia. Sob o ponto de vista de querer esquecer Sarah, não havia escolha: ela pertencera a ambas as casas.

Ainda estava um pouco drogado quando cheguei, o que me facilitou o trabalho. Um padre estava sentado rigidamente na beirada de uma poltrona, no escritório: um homem de cara azeda e lúgubre, um adepto do Redentor, provavelmente, que servia o Inferno aos domingos na igreja escura onde eu estivera com Sarah pela última vez. Ele obviamente hostilizara Henry desde o princípio, o que me favoreceu.

— Este é o Sr. Bendrix, o escritor — Henry disse. — Padre Crompton. O Sr. Bendrix era um grande amigo de minha mulher. — Tive a impressão de que o Padre Crompton já sabia disto. Seu nariz descia pelo rosto como uma escora, e achei que talvez tivesse sido ele o homem que bateu com a porta da esperança na cara de Sarah.

— Boa-tarde — Padre Crompton disse com tanta má vontade que senti que a sineta e a vela não estavam muito longe.

— O Sr. Bendrix tem me ajudado muito nestes rituais — Henry explicou.

— Teria providenciado tudo sozinho, se tivesse sabido a tempo.

Houve um tempo em que odiei Henry. Meu ódio agora me pareceu mesquinho. Henry era tão vítima quanto eu. E o algoz era este homem carrancudo com um colarinho idiota. Eu disse:

— O senhor dificilmente poderia fazê-lo, já que não aprova a cremação.

— Poderia ter providenciado um enterro católico.

— Ela não era católica.

— Ela expressara a intenção de se converter.

— E isto é suficiente?

Padre Crompton apresentou uma fórmula. Colocou-a na mesa como se fosse uma cédula bancária.

— Nós reconhecemos como batismo seu simples desejo. — A frase pairou entre nós para que fosse colhida. Ninguém se moveu. Padre Crompton prosseguiu: — Ainda há tempo para cancelar a cerimônia. Posso encarregar-me de tudo — repetiu em tom de advertência, como se se dirigisse a Lady Macbeth, prometendo-lhe algum processo melhor de perfumar suas mãos que os perfumes da Arábia.

Henry disse, subitamente:

— Faz realmente muita diferença? Não sou católico, padre, mas, não consigo ver...

— Ela teria ficado mais feliz...

— Mas por quê?

— A Igreja oferece privilégios, Sr. Miles, bem como responsabilidades. Há missas especiais para nossos mortos. Orações são feitas regularmente. Lembramo-nos de nossos mortos — acrescentou, e pensei, furioso, de que modo eles se lembrariam. Suas teorias são boas. Pregam a importância do indivíduo. Nossos cabelos são todos numerados, segundo eles, mas posso sentir o cabelo dela nas costas da minha mão; posso me lembrar da fina penugem na base de sua espinha quando estava deitada de bruços em minha cama. Nós também recordamos os nossos mortos, à nossa maneira.

Vendo Henry fraquejar, menti com firmeza:

— Não temos qualquer motivo para acreditar que ela se teria tornado católica.

Henry começou:

— É verdade que a enfermeira disse...

Mas eu o interrompi, afirmando:

— Ela estava delirando no final.

Padre Crompton disse:

— Eu nunca teria me intrometido, Sr. Miles, se não tivesse uma razão muito forte.

— Recebi uma carta da Sra. Miles que foi escrita menos de uma semana antes de ela morrer — eu disse. — Quanto tempo faz que o senhor a viu?

— Mais ou menos o mesmo tempo. Há cinco ou seis dias atrás.

— Parece-me muito estranho que ela não tenha sequer mencionado o assunto na carta.

— Talvez Sr... Sr. Bendrix, o senhor não usufruísse de sua confiança.

— Talvez, padre, o senhor tire conclusões muito apressadas. As pessoas podem interessar-se pela sua fé, fazer perguntas, sem, necessariamente, desejarem se converter. — Dirigi-me rapidamente a Henry. — Seria absurdo alterar tudo agora. As instruções já foram dadas. Os amigos já foram convidados. Sarah nunca foi uma fanática. Seria a última a desejar uma inconveniência causada por um impulso. Afinal de contas — continuei, os olhos fixos em Henry —, será uma cerimônia perfeitamente cristã. Não que Sarah fosse cristã. Nunca vimos nenhum sinal disto. Mas mesmo assim você poderia dar um dinheiro ao Padre Crompton para ele rezar uma missa.

— Não é necessário. Já rezei uma hoje de manhã. — E fez um movimento com as mãos, a primeira brecha em sua rigidez: foi como ver uma forte parede sacudir e se inclinar após a explosão de uma bomba. — Vou lembrar-me dela todos os dias em minha missa — disse.

Henry disse, aliviado, como se isto tivesse decidido o assunto:

— Muito bondoso de sua parte, padre — e pegou a cigarreira.

— Pode parecer-lhe estranho e impertinente o que vou lhe dizer, Sr. Miles, mas acho que o senhor não sabia o quanto a sua mulher era boa.

— Ela era tudo para mim — disse Henry.

— Muitas pessoas a amavam — eu disse.

Padre Crompton me olhou como um professor interrompido por algum garoto intrometido lá do fundo da sala.

— Talvez não o bastante — ele disse.

— Bem, para voltar ao que estávamos discutindo, não acho que possamos alterar as coisas agora, padre. Causaria também muito falatório. Você não iria gostar disto, não é, Henry?

— Não. Oh, não.

— Há a notícia no *The Times*. Teríamos que retificá-la. As pessoas reparam nesse tipo de coisa. Provocaria comentários. Afinal, você não é um desconhecido, Henry. Depois, teríamos que enviar diversos telegramas. Muitas pessoas já devem ter enviado coroas para o crematório. O senhor entende o que estou querendo dizer, padre.

— Não posso dizer que sim.

— O que o senhor está pedindo não é razoável.

— O senhor parece ter uma estranha escala de valores, Sr. Bendrix.

— Mas o senhor certamente não acredita que a cremação prejudique a ressurreição do corpo, padre.

— É claro que não. Já lhe expus minhas razões. Se não parecem bastante fortes ao Sr. Miles, não há mais nada a ser dito.

Levantou-se da cadeira, e que homem feio ele era! Sentado, ao menos aparentava poder, mas suas pernas eram curtas demais e, de pé, era surpreendentemente pequeno. Era como se, de repente, tivesse se afastado para muito longe.

Henry disse:

— Se o senhor tivesse vindo um pouco mais cedo, padre... Por favor, não pense...

— Não faço mau juízo do senhor, Sr. Miles.

— De mim, talvez, padre? — perguntei, com uma impertinência deliberada.

— Oh, não se preocupe, Sr. Bendrix. Nada que o senhor faça vai afetá-la agora.

Suponho que o confessionário ensine a identificar o ódio. Ele estendeu a mão a Henry e virou-me as costas. Quis dizer-lhe que estava errado a meu respeito. Não é a Sarah que odeio. E está errado a respeito de Henry também. Ele é o corruptor, não eu. Queria defender-me. "Eu a amava", pois certamente, no confessionário, eles aprendem a identificar também esta emoção.

4

— HAMPSTEAD É A próxima parada — Sylvia disse.

— Você tem que descer para ver sua mãe?

— Posso continuar até Golders Green para mostrar-lhe o caminho. Geralmente não a visito hoje.

— Seria um ato de caridade — disse-lhe.

— Acho que você deve pegar um táxi se quiser chegar a tempo.

— Acho que não tem muita importância perder o início.

Ela levou-me até o pátio da estação e depois fez menção de voltar. Pareceu-me estranho ela ter-se dado a este trabalho. Nunca vi em mim nenhuma qualidade que pudesse agradar a uma mulher, muito menos naquele momento. Tristeza e desapontamento são como o ódio: tornam o homem feio pela autopiedade e pela amargura. E como nos fazem também egoístas. Não tinha o que oferecer a Sylvia: nunca seria um de seus professores, mas, como estava com medo da próxima meia hora, dos rostos que espionariam minha solidão tentando descobrir, pela minha aparência, quais teriam sido minhas relações com Sarah, ou quem tinha rompido a relação, eu precisava de sua beleza para me apoiar.

— Mas não posso ir com esta roupa — ela protestou quando pedi que fosse comigo. Vi o quanto lhe agradava o fato de querer sua companhia. Percebi que poderia tê-la tirado de Waterbury ali, naquele momento. O tempo dele já estava esgotado. Se quisesse, ele ouviria Bartók sozinho.

— Nós podemos ficar atrás — eu disse. — Você pode ser uma estranha que estava passando por ali.

— Pelo menos são pretas — ela disse, referindo-se às suas calças.

No táxi, descansei a mão em sua perna como uma promessa, mas não tinha a mínima intenção de cumpri-la. Da torre do crematório saía fumaça, e a água estava quase congelada nas poças que se formavam no caminho de cascalho. Muitos dos conhecidos passaram por nós — de uma outra cremação, supus: tinham o ar animado e vivo de quem saiu de uma festa sem graça e que agora podiam "esticar".

— É por aqui — disse Sylvia.

— Você conhece muito bem o lugar.

— Papai foi cremado aqui há dois anos.

Quando chegamos na capela, todo mundo estava saindo. As perguntas de Waterbury sobre o fluxo da consciência tinham-me atrasado o suficiente. Senti uma estranha pontada convencional de remorso — afinal, não tinha acompanhado os restos de Sarah e pensei tolamente que era a sua fumaça que soprava sobre os jardins. Henry saiu às cegas, sozinho: tinha chorado e não me viu. Eu não conhecia mais ninguém, exceto Sir William Mallock, que estava usando uma cartola. Lançou-me um olhar de desaprovação e continuou a andar apressadamente. Havia uma meia dúzia de homens com aspecto de funcionários públicos. Será que Dunstan estava lá? Não tinha muita importância. Algumas mulheres tinham acompanhado os maridos. Pelo menos elas estavam satisfeitas com a cerimônia — quase se adivinhava por causa dos chapéus. A extinção de Sarah tinha deixado todas as esposas mais seguras.

— Sinto muito — Sylvia disse.

— Não foi culpa sua.

Se pudéssemos tê-la embalsamado, elas nunca estariam seguras. Mesmo seu corpo morto seria um padrão de julgamento.

Smythe saiu e foi embora pisando nas poças, rapidamente, sem falar com ninguém. Eu ouvi uma mulher dizer: "Os Carter nos convidaram para o fim de semana do dia dez."

— Você quer que eu vá embora? — Sylvia perguntou

— Não, não. Eu gosto de ter você por perto.

Fui até a porta da capela e olhei seu interior. A rampa para a fornalha estava vazia, e, enquanto as velhas coroas iam sendo retiradas, outras, novas, vinham sendo trazidas. Uma senhora idosa estava incongruentemente ajoelhada, rezando, como um ator de uma cena passada exposto pela inesperada subida da cortina. Uma voz conhecida atrás de mim disse:

— É um triste prazer encontrar o senhor aqui, onde o que passou, passou.

— Você veio, Parkis — exclamei.

— Vi o anúncio no The Times e pedi licença ao Sr. Savage para tirar uma folga à tarde.

— Você sempre segue as pessoas assim tão longe?

— Ela era uma senhora muito simpática, senhor — ele disse reprovadoramente. — Uma vez ela me pediu uma informação na rua, sem saber, é claro, a razão pela qual eu estava por ali. E no coquetel ela me deu um cálice de sherry.

— Sherry sul-africano? — perguntei, muito triste.

— Não sei, senhor, mas o jeito como ela o fez, oh, não há muitas como ela. O meu garoto também... Ele está sempre falando nela.

— Como vai o seu filho, Parkis?

— Não vai muito bem, senhor. Aliás, não vai nada bem. Tem tido terríveis dores de estômago.

— Você já procurou um médico?

— Ainda não, senhor. Costumo deixar as coisas por conta da natureza. Até certo ponto.

Olhei em volta para os grupos de estranhos que tinham conhecido Sarah e perguntei a Parkis:

— Quem são essas pessoas?

— A mocinha eu não conheço, senhor.

— Ela está comigo.

— Desculpe-me. Sir William Mallock é aquele ali, senhor.

— Eu o conheço.

— O cavalheiro que acabou de evitar uma poça é o chefe do departamento do Sr. Miles.

— Dunstan?

— Esse mesmo, senhor.

— Quanta coisa você sabe, Parkis. — Eu pensara que o ciúme estava morto: tinha achado que estaria disposto a compartilhá-la com um monte de homens se ao menos ela pudesse estar viva de novo, mas a visão de Dunstan despertou por alguns segundos o velho ódio. — Sylvia — eu chamei, como se Sarah pudesse ouvir-me —, você vai jantar em algum lugar esta noite?

— Prometi a Peter...

— Peter?

— Waterbury.

— Esqueça-o.

Você está aí? Eu disse a Sarah. Você está me vigiando? Veja como posso me arranjar sem você. Não é tão difícil, disse a ela. Meu ódio podia acreditar em sua sobrevivência, apenas o meu amor sabia que ela não estava mais viva do que um pássaro morto.

Ia começar um novo funeral e a senhora que estava ajoelhada se levantou, sem jeito, ao ver os desconhecidos entrando. Quase fora apanhada na cerimônia errada.

— Acho que posso telefonar.

O ódio caía como o tédio sobre o resto da tarde. Eu tinha me comprometido: sem amor, teria que fazer gestos de amor. Senti a culpa antes de cometer o crime, o crime de arrastar uma inocente para dentro do meu próprio labirinto. O ato sexual pode não significar nada, mas quando se chega à minha idade, aprende-se que a qualquer momento ele pode provar ser tudo. Eu estava seguro, mas quem poderia dizer a que neurose desta criança poderia apelar? No fim da noite, faria amor desajeitadamente, e minha falta de jeito, até mesmo minha impotência, se eu ficasse impotente, poderia dar resultado, ou faria amor de uma forma experiente, e a minha experiência também poderia envolvê-la. Implorei a Sarah: livre-me disso, tire-me daqui, para o bem dela, não para o meu.

Sylvia disse:

— Eu podia dizer que minha mãe está doente. — Ela estava pronta para mentir: era o fim de Waterbury. Pobre Waterbury. Com esta primeira mentira, nós nos tornaríamos cúmplices. Ela ficou ali, com suas calças pretas, no meio das poças congeladas, e pensei: é aqui que um longo futuro pode começar. Implorei a Sarah: tire-me daqui. Não quero começar tudo de novo e fazê-la sofrer. Sou incapaz de amar. A não ser você, a não ser você. E a senhora grisalha veio em minha direção, fazendo estalar a fina camada de gelo do chão.

— O senhor é o Sr. Bendrix? — perguntou.

— Sou.

— Sarah me contou — ela começou, e, enquanto hesitava, tive a esperança de que ela tivesse uma mensagem para mim; de que os mortos pudessem falar.

— O senhor era seu melhor amigo, ela me disse isto muitas vezes.

— Eu era um deles.

— Sou a mãe dela.

Nem me lembrava que sua mãe era viva: naqueles anos, tinha havido sempre tanto a conversar que havia partes inteiras de nossas vidas que eram vazias como mapas antigos, para serem preenchidas mais tarde.

Ela me perguntou:

— O senhor não tinha ouvido a meu respeito, não é?

— Para falar a verdade...

— Henry não gostava de mim. Isto me deixava pouco à vontade, por isso me afastei. — Falava de um modo calmo e sensato, e, no entanto, as lágrimas escorriam de seus olhos como se tivessem vida própria.

Todos os homens e suas mulheres tinham se retirado; os desconhecidos abriram caminho no meio de nós três para entrar na capela. Só Parkis ficou por ali achando, suponho, que ainda pudesse me ajudar com alguma informação, mas manteve-se à distância, já que, como diria, conhecia seu lugar.

— Tenho um grande favor para lhe pedir — disse a mãe de Sarah. Tentei lembrar-me de seu nome: Cameron, Chandler, começava com C., eu julgava. — Eu vim hoje de Great Missenden com tanta pressa... — Enxugou as lágrimas, indiferente, como se estivesse usando um pano de prato. Bertram, era esse o nome, Bertram.

— Sim, Sra. Bertram — disse.

— Esqueci-me de passar o dinheiro para a bolsa preta.

— O que posso fazer para ajudá-la?

— Se o senhor pudesse me emprestar uma libra, Sr. Bendrix. O senhor sabe, tenho que jantar na cidade antes de partir. Tudo fecha cedo em Great Missenden — e enxugou os olhos outra vez enquanto falava. Alguma coisa nela me lembrou Sarah: uma simplicidade na dor, talvez uma ambigüidade. Será que ela pedira dinheiro a Henry com muita freqüência? Eu disse:

— Jante comigo.

— O senhor não precisa se incomodar.

— Eu amava Sarah — disse.

— Eu também.

Dirigi-me a Sylvia e expliquei:

— Aquela é a mãe dela. Terei que jantar com ela. Sinto muito. Posso telefonar e marcar um outro encontro?

— É claro.

— O seu número está no catálogo?

— O de Waterbury está — ela disse melancolicamente.

— Na semana que vem eu ligo.

— Eu adoraria. — Ela estendeu a mão e disse: — Até logo. — Vi que ela sabia tratar-se dessas coisas que se perdem junto com o momento. Graças a Deus, não havia importância: uma certa pena e curiosidade que iriam durar até a estação do metrô; uma resposta malcriada para Waterbury enquanto estivessem ouvindo Bartók. Ao me dirigir para onde estava a Sra. Bertram, vi-me outra vez conversando com Sarah: Está vendo, eu te amo. Mas o amor não era tão convincente quanto o ódio.

Quando nos aproximamos dos portões do crematório, notei que Parkis tinha sumido. Não o vira retirar-se. Ele com certeza percebera que eu agora não precisava mais dele.

A Sra. Bertram e eu jantamos no Isola Bella. Não quis ir a nenhum lugar que já tivesse ido com Sarah, e, evidentemente, comecei imediatamente a comparar este restaurante com todos os outros em que havíamos estado juntos. Sarah e eu nunca tomávamos Chianti e, agora, o ato de bebê-lo me recordava *este* fato. Nem se tivesse pedido nosso clarete favorito, pensaria nela mais intensamente. Ela ocupava todos os momentos.

— Não gostei da cerimônia — disse a Sra. Bertram.

— Sinto muito.

— Foi tão desumana. Como uma correia transportadora.

— Pareceu-me adequada. Afinal, houve orações.

— Aquele clérigo... ele era um clérigo?

— Não o vi.

— Ele falou sobre o Grande Todo. Custou-me entendê-lo. Pensei que ele tivesse dito Grande Tordo. — Continuou a tomar sua sopa. Depois disse: — Eu quase ri e Henry viu. Percebi que ele se ofendeu.

— Vocês não se dão bem?

— É um homem muito mesquinho — disse. Enxugou os olhos

com o guardanapo, depois mexeu furiosamente a sopa com a colher. — Uma vez fui obrigada a pedir-lhe dez libras emprestadas porque tinha vindo a Londres passar a noite e tinha esquecido a bolsa, o que poderia acontecer a qualquer pessoa.

— É claro que sim.

— Sempre me orgulho de não ter dívida alguma.

Sua conversa era como o sistema do metrô. Movia-se em círculos e voltas. Na hora do café, comecei a notar as estações que se repetiam: a avareza de Henry, sua própria integridade em questões financeiras, seu amor por Sarah, sua insatisfação com a cerimônia fúnebre, o Grande Todo; e alguns trens iam até Henry.

— Foi tão engraçado — disse —, eu não queria ir. Ninguém amou Sarah mais do que eu. — A gente sempre afirma isto e não gosta quando outra pessoa também o faz. — Mas Henry não entenderia isto. É um homem frio.

Fiz um grande esforço para desviar o rumo da conversa.

— Não sei que outro tipo de cerimônia poderia ter havido.

— Sarah era católica — ela disse. Apanhou o cálice de vinho do Porto e engoliu metade de um só gole.

— Bobagem — eu disse.

— Oh — disse a Sra. Bertram —, ela própria não sabia disso.

De repente, inexplicavelmente, tive medo, como um homem que cometeu o crime quase perfeito e enxerga a primeira fenda no muro de sua fraude. Até onde vai a fenda? Pode ser consertada a tempo?

— Não entendo uma palavra do que a senhora está dizendo.

— Sarah nunca lhe contou que fui católica?

— Não.

— Não fui uma católica muito boa. O senhor sabe, meu marido detestava aquela história toda. Eu era sua terceira mulher e quando me zangava com ele no primeiro ano de casada, lhe dizia que não estávamos realmente casados. Ele era um homem mesquinho — acrescentou mecanicamente.

— O fato de a senhora ser católica não faz com que Sarah o fosse.
Ela tomou outro gole de vinho do Porto e disse:

— Nunca falei isto a ninguém. Acho que estou um pouco alta.
O senhor acha que estou alta, Sr. Bendrix?

— Claro que não. Tome mais um vinho do Porto.

Enquanto esperávamos o vinho do Porto, ela tentou mudar de
assunto, mas eu a trouxe implacavelmente de volta:

— O que a senhora está querendo dizer? Sarah era católica?

— Prometa que não vai dizer nada a Henry.

— Prometo.

— Estivemos uma vez na Normandia. Sarah tinha dois anos.
Meu marido costumava ir a Deauville. Era o que ele dizia, mas eu
sabia que andava se encontrando com sua primeira mulher. Fiquei
furiosa. Sarah e eu fomos dar um passeio pela praia. Sarah queria
sentar-se a todo momento, mas eu a deixava descansar um pouco e
depois continuávamos a andar. Eu disse a ela: "Isto é um segredo
entre nós duas, Sarah." Mesmo nessa época ela já era um boa confi-
dente, quando queria. Eu estava assustada, mas foi uma boa vingança, não foi?

— Vingança? Não estou entendendo muito bem, Sra. Bertram.

— Do meu marido, é claro. Não era apenas por causa de sua
primeira mulher. Eu não disse ao senhor que ele não me deixava ser
católica? Fazia uma cena quando eu queria ir à missa. Então pensei:
Sarah vai ser católica, e ele não vai saber e não vou lhe dizer a não
ser que fique muito furiosa.

— E a senhora não disse?

— Ele me deixou um ano mais tarde.

— Então a senhora pôde continuar católica?

— Bem, eu não *acreditava* muito, sabe. Aí, casei-me com um
judeu, que também era difícil. Dizem que os judeus são muito generosos. Não acredite. Era um homem muito mesquinho.

— Mas o que foi que aconteceu na praia?

— É claro que não aconteceu na praia. Apenas fomos por ali. Deixei Sarah na porta e fui procurar o padre. Eu tinha que dizer-lhe algumas mentiras — sem importância, é claro — para explicar as coisas. Podia pôr toda a culpa em meu marido, é claro. Disse que ele prometera, antes de casarmos, e quebrara a promessa. O fato de não falar francês me ajudou muito. Você parece tremendamente sincera quando não sabe bem uma língua. De qualquer maneira, ele o fez ali mesmo, e pegamos o ônibus de volta para almoçar.

— Fez o quê?

— Batizou-a.

— Isso é tudo? — perguntei aliviado.

— Bem, é um sacramento, assim eles dizem.

— Pensei, a princípio, que a senhora estava querendo dizer que Sarah era católica de verdade.

— Bem, como o senhor vê, ela era, apenas não sabia que era. Gostaria que Henry a tivesse enterrado adequadamente — disse a Sra. Bertram, e recomeçou a chorar daquele modo grotesco.

— A senhora não pode culpá-lo se nem a própria Sarah sabia.

— Eu sempre desejei que "pegasse". Como uma vacina.

— Parece não ter "pego" muito na senhora — não pude deixar de dizer, mas ela não se ofendeu.

— Oh, tive muitas tentações em minha vida. Espero que no fim tudo acabe bem. Sarah era muito paciente comigo. Era uma boa menina. Ninguém lhe deu tanto valor quanto eu. — Tomou mais um pouco de vinho do Porto e continuou: — Se ao menos o senhor a tivesse conhecido bem. Se tivesse sido criada corretamente, se eu não tivesse me casado com homens tão mesquinhos, ela teria sido uma santa, tenho certeza.

— Mas simplesmente não pegou — disse ferozmente e chamei o garçom para pedir a conta. Uma asa daqueles gansos cinzentos que voam sobre os túmulos tinha provocado um arrepio em minhas costas, ou então talvez tivesse apanhado um resfriado por ficar tanto tempo em pé no chão congelado: se ao menos fosse um resfriado mortal como o de Sarah.

Não pegou, repeti para mim mesmo durante todo o caminho de volta, no metrô, depois de ter depositado a Sra. Bertram em Marylebone e ter-lhe emprestado mais três libras "porque amanhã é quarta-feira e tenho que ficar em casa trabalhando". Pobre Sarah, o que tinha "pego" tinha sido aquela sucessão de maridos e padrastos. Sua mãe lhe havia ensinado, com muita eficiência, que um homem não era o bastante para toda a vida, mas ela própria enxergara o pretexto que havia por trás dos casamentos da mãe. Quando casou-se com Henry, casou-se para o resto da vida, como eu aprendi desesperadamente.

Mas esta sabedoria não tinha nada a ver com a cerimônia astuciosa perto da praia. Não foi Você que "pegou", eu disse ao Deus no qual não acreditava, aquele Deus imaginário que Sarah achava que tinha salvo minha vida (com que propósito?) e que tinha arruinado, mesmo na sua inexistência, a única felicidade verdadeira que eu jamais experimentara. Oh, não, não foi Você que pegou, pois isto teria sido uma mágica e acredito menos ainda em mágica do que em Você: mágica é a Sua cruz, a Sua ressurreição do corpo, a Sua Santa Igreja Católica, a Sua comunhão dos santos.

Fiquei deitado de costas vendo as sombras das árvores do Common movendo-se no teto. É só uma coincidência, eu pensei, uma terrível coincidência que quase a trouxe de volta para Você no fim. Você não pode marcar uma criança de dois anos para o resto da vida com um pouco d'água e uma prece. Se eu começasse a acreditar nisso, poderia acreditar no corpo e no sangue. Você não a possuiu por todos esses anos: eu a possuí. Você venceu no fim, não precisa lembrar-me disto, mas ela não estava me enganando com Você quando se deitava aqui comigo, nesta cama, com este travesseiro nas costas. Quando ela dormia, *eu* estava com ela, não Você. Era eu que a penetrava, não Você.

Todas as luzes se apagaram, a escuridão estava sobre a cama, e sonhei que estava num parque de diversões, com um revólver na mão. Atirava em garrafas que pareciam de vidro, mas minhas balas ricocheteavam como se as garrafas fossem cobertas de aço. Atirava e atirava e não conseguia quebrar nenhuma garrafa, e às cinco da manhã acordei exatamente com o mesmo pensamento na cabeça: durante todos esses anos você foi minha e não dEle.

FORA UMA PIADA MACABRA pensar que Henry pudesse convidar-me a dividir sua casa. Não esperava realmente que ele o fizesse e, quando o convite veio, fui pego de surpresa. Até sua visita, uma semana depois do enterro, foi uma surpresa: ele nunca tinha vindo à minha casa. Duvido até que alguma vez tivesse estado mais próximo do lado sul do que naquela noite em que o encontrei no Common, andando na chuva. Ouvi a campainha tocar e olhei pela janela porque não queria receber visitas; achei que poderia ser Waterbury com Sylvia. A lâmpada ao lado do plátano na calçada realçava o chapéu preto de Henry. Desci e abri a porta.

— Estava passando por aqui — mentiu Henry.

— Entre.

Ficou em pé e andou pelo quarto, embaraçado, enquanto eu tirava as bebidas do armário. Ele disse:

— Você parece interessado no General Gordon.

— Querem que eu escreva sua biografia.

— E você vai escrever?

— Acho que sim. Não estou com muita disposição para trabalhar esses dias.

— Está acontecendo o mesmo comigo — Henry disse.

— A Comissão Real ainda está funcionando?

— Está.

— É sempre alguma coisa com que se ocupar.

— Será? É, suponho que sim. Até a hora em que paramos para almoçar.

— De qualquer maneira, é um trabalho importante. Aqui está seu *sherry*.

Que longo caminho Henry tinha percorrido desde aquele retrato pomposo no *Tatler* que tanto me irritara. Eu tinha um retrato ampliado de Sarah que estava virado para a parede na minha escrivaninha. Ele o desvirou e disse:

— Lembro-me de tê-lo tirado. — Sarah tinha-me dito que o retrato havia sido tirado por uma amiga. Suponho que ela tenha mentido para me poupar. No retrato, parecia mais jovem e mais feliz, mas não mais bonita do que nos anos em que convivemos. Desejei ter a capacidade de mantê-la assim, mas faz parte do destino de um amante ver a infelicidade se enrijecer como um molde ao redor de sua amada. Henry prosseguiu: — Eu estava fazendo papel de idiota para fazê-la rir. — E voltando ao assunto inicial perguntou: — O General Gordon é uma personalidade interessante?

— Em alguns aspectos.

— Minha casa anda estranha esses dias. — Henry disse. — Tento ficar na rua a maior parte do tempo. Suponho que você não esteja livre para jantar no clube?

— Tenho um bocado de trabalho para terminar.

Olhou em volta e disse:

— Você não tem muito espaço para seus livros aqui.

— Não. Sou obrigado a guardar alguns debaixo da cama.

Pegou uma revista que Waterbury enviara antes da entrevista para mostrar-me seu trabalho e disse:

— Há lugar na minha casa. Você poderia ficar praticamente com um apartamento só para você. — Fiquei espantado demais para responder. Ele continuou, rapidamente, virando as folhas da revista como se estivesse realmente desinteressado de sua própria sugestão. — Pense sobre isso. Você não precisa decidir agora.

— É muita bondade sua, Henry.

— Você estaria me fazendo um favor, Bendrix.

Eu pensei, por que não? Os escritores são vistos como pessoas não convencionais. Será que sou mais convencional que um funcionário público?

— Sonhei com todos nós na noite passada — Henry disse.

— Sim?

— Não me lembro muito bem. Estávamos bebendo juntos. Estávamos felizes. Quando acordei, pensei que ela não estava morta.

— Não tenho sonhado com ela.

— Gostaria que tivéssemos deixado aquele padre fazer as coisas a seu modo.

— Teria sido absurdo, Henry. Ela não era mais católica do que você e eu.

— Você acredita em sobrevivência, Bendrix?

— Se você quer dizer sobrevivência pessoal, não.

— Mas não existe prova contrária, Bendrix.

— É quase impossível refutar totalmente alguma coisa. Eu escrevo uma história. Como você vai provar que os acontecimentos descritos nunca ocorreram, que os personagens não são reais? Ouça, encontrei hoje no Common um homem com três pernas.

— Que coisa horrível — Henry disse, seriamente. — Um aborto?

— E elas eram cobertas de escamas.

— Você está brincando.

— Mas prove que estou, Henry. Você não pode provar que minha história é falsa do mesmo modo que não posso provar que Deus não existe. Mas sei que Ele é uma mentira, assim como você sabe que minha história é uma mentira.

— É claro que existem argumentos.

— Oh, eu poderia inventar um argumento filosófico para a minha história, baseado em Aristóteles.

Henry, de repente, voltou ao assunto de antes.

— Você economizaria um bocado se viesse morar comigo —

disse. — Sarah sempre achava que seus livros não obtinham o sucesso devido.

— Oh, a sombra do sucesso está caindo sobre eles. — Pensei no artigo de Waterbury e disse: — Chega um momento em que você pode ouvir os críticos molhando suas penas para os aplausos, antes mesmo de o próximo livro ter sido escrito. É tudo uma questão de tempo. — Eu estava prolongando a conversa porque ainda não havia me decidido.

— Você não guarda nenhuma mágoa, Bendrix? Fiquei furioso com você aquele dia no clube, por causa daquele homem. Mas o que importa isso agora?

— Eu estava errado. Ele era apenas um pregador maluco que a interessou com suas teorias. Esqueça isso, Henry.

— Ela era boa, Bendrix. As pessoas falam, mas ela era boa. Não foi culpa dela se não pude amá-la de uma forma adequada. Você sabe que sou terrivelmente prudente, cauteloso. Não sou do tipo que pode ser um amante. Ela queria alguém como você.

— Ela me deixou e seguiu adiante, Henry.

— Sabe, uma vez eu li um dos seus livros, Sarah me obrigou. Você descrevia uma casa depois da morte de uma mulher.

— *The Ambitious Host.*

— Esse mesmo. Pareceu-me bom na época, achei-o muito plausível. Mas você entendeu tudo errado, Bendrix. Você descreveu como o marido achava a casa terrivelmente vazia: ele ficava andando pelas salas, mudando as cadeiras de lugar, tentando simular movimento, a presença de mais alguém. Às vezes ele servia bebidas em dois copos.

— Já me esqueci. Parece um tanto literário.

— E irreal, Bendrix. O problema é que a casa não parece vazia. Sabe, muitas vezes, nos velhos tempos, chegava em casa do escritório e ela não estava; talvez estivesse com você. Eu a chamava e não havia resposta. Aí, sim, a casa ficava vazia. Chegava a pensar que os móveis tinham sumido. Você sabe que eu a amava a meu modo,

Bendrix. Cada vez que chegava em casa nos últimos meses e ela não estava, temia encontrar uma carta me esperando. "Caro Henry..." Você sabe, o tipo de coisas que se escreve nos romances.

— Entendo.

— Mas agora a casa nunca parece tão vazia. Não sei como me expressar. Porque ela sempre está fora, ela nunca está fora. Sabe, ela nunca está em outro lugar. Não está almoçando com ninguém, não está no cinema com você. Não há outro lugar em que ela possa estar, a não ser em casa.

— Mas onde é a casa dela? — perguntei.

— Ah, você tem que me desculpar, Bendrix. Estou nervoso e cansado, não tenho dormido bem. Você sabe, a melhor coisa além de conversar *com* ela é conversar *sobre* ela, e eu só tenho você.

— Ela tinha muitos amigos. Sir William Mallock, Dunstan...

— Não posso falar sobre ela com eles. Muito menos com aquele homem, Parkis.

— Parkis! — exclamei. Será que ele estava alojado em nossas vidas para sempre?

— Ele me disse que esteve num coquetel que oferecemos. Era uma das pessoas estranhas que Sarah descobria. Ele disse que você também o conhecia.

— Mas o que ele queria com você?

— Disse que ela fora gentil com seu filho, Deus sabe quando. O menino está doente. Ele parecia querer alguma lembrança dela. Dei-lhe um ou dois de seus velhos livros de criança. Havia muitos no quarto dela, todos rabiscados com lápis. Foi uma boa maneira de livrar-me dele. Não poderia simplesmente mandá-lo embora, não é? Não vejo mal nisso, você vê?

— Não. Esse é o homem que contratei para vigiá-la, da agência de detetive Savage.

— Meu Deus, se soubesse... Mas ele parecia gostar dela sinceramente.

— Parkis é humano — retruquei. — Ele se comove facilmente.

— Olhei o quarto. Não haveria muito mais de Sarah de onde Henry viera: talvez menos, pois lá estaria diluída. — Vou morar com você, Henry, mas você me permite pagar um aluguel?

— Estou tão contente, Bendrix. Mas a casa é de graça. Você pode pagar sua parte das despesas.

— Quero três meses de aviso prévio para encontrar outro teto quando você se casar de novo.

Ele me levou a sério e disse com decisão:

— Nunca farei isto. Não sou do tipo de me casar. Fiz um grande mal a Sarah casando-me com ela. Agora sei disso.

6

E MUDEI-ME PARA O LADO norte do Common. Desperdicei uma semana de aluguel, pois Henry quis que eu fosse imediatamente, e paguei cinco libras pela mudança de meus livros e de minhas roupas. Fiquei com o quarto de hóspedes e Henry improvisou um depósito como escritório. Havia um banheiro no andar de cima. Henry se mudara para o quarto de vestir, e o quarto de casal, com as camas iguais, foi reservado para hóspedes que nunca chegaram. Depois de alguns dias, comecei a entender o que Henry dissera sobre a casa nunca estar vazia. Eu trabalhava no Museu Britânico até a hora de fechar e então voltava e esperava por Henry; geralmente saíamos e tomávamos alguma coisa no Pontefract Arms. Uma vez, quando Henry viajou por alguns dias, para uma conferência em Bournemouth, peguei uma garota e levei-a para casa. Não adiantou. Vi imediatamente que estava impotente. E, para poupar seus sentimentos, disse-lhe que havia prometido a uma mulher a quem amava jamais fazer amor com outra. Ela foi muito doce e compreensiva: as prostitutas têm muito respeito pelos sentimentos alheios. Agora não havia vingança em minha mente. Senti apenas tristeza por abandonar para sempre uma coisa de que tanto havia gostado. Depois, sonhei com Sarah: éramos amantes outra vez, no meu velho quarto do lado sul, mas, novamente, nada aconteceu, só que desta vez não houve tristeza. Estávamos felizes e sem saudade.

Poucos dias depois disto abri um armário do meu quarto e achei uma pilha de velhos livros de criança. Henry deve ter saqueado esse armário para o filho de Parkis. Havia vários dos livros de fadas de Andrew Lang com suas capas coloridas, muitos livros de Beatrix Potters, *The Children of the New Forest*, *The Golliwog at the North Pole* e também um ou dois livros mais antigos — *Last Expedition* do Capitão Scott e os poemas de Thomas Hood, este último encapado e com uma etiqueta explicando que fora dado como prêmio a Sarah Bertram por seu bom desempenho em Álgebra. Álgebra! Como as pessoas mudam.

Não consegui trabalhar naquela noite. Fiquei deitado no chão, com os livros em volta, e tentei encontrar ao menos algumas pistas para os espaços em branco da vida de Sarah. Há horas em que um amante tem vontade de ser também um pai e um irmão: tem ciúmes dos anos que não compartilharam. *The Golliwog at the North Pole* foi provavelmente o mais antigo dos livros de Sarah, pois estava todo rabiscado, destrutivamente, com giz colorido. Num dos livros de Beatrix Potters, seu nome tinha sido escrito a lápis, em letra de imprensa, com uma das letras espelhada e o que se lia era S A Я A H. Em *The Children of the New Forest*, ela tinha escrito direitinho e com cuidado: "Sarah Bertram Seu Livro. Favor pedir licença para pegar. E se você o roubar vai se arrepender." Eram as marcas de todas as crianças que já existiram: traços tão anônimos quanto as pegadas de pássaros que se vêem no inverno. Quando fechei o livro, elas foram imediatamente cobertas pelo turbilhão do tempo.

Duvido que ela jamais tenha lido os poemas de Hood: as páginas estavam tão limpas quanto no dia em que o livro lhe foi entregue pela diretora ou por um ilustre convidado. Quando ia colocá-lo de volta no armário, uma folha impressa caiu no chão — o programa, provavelmente, daquela mesma entrega de prêmios. Numa letra que consegui reconhecer (até mesmo nossa letra começa jovem e adquire os arabescos com o tempo) havia uma frase: "Que besteira completa." Podia imaginar Sarah escrevendo aquilo e mostrando para a colega do lado, enquanto a diretora voltava ao seu lugar, aplaudida respeitosamente pelos pais. Não sei por que me veio à cabeça outra linha escrita por ela quando vi aquela frase de colegial, com toda sua impaciência, sua incompreensão e sua segurança: "Sou uma fraude e uma impostora." Aqui, sob a minha mão, estava a inocência. Parecia-me uma pena que ela tivesse vivido mais vinte anos só para se sentir assim a seu próprio respeito. Uma fraude e uma impostora. Seria esta uma descrição que eu usara num momento de raiva? Ela sempre acolheu minhas críticas; só o elogio escorregava dela como a neve.

Virei a folha e li o programa do dia 23 de julho de 1926: a *Water Music* de Haendel. Tocada pela Srta. Duncan; uma declamação de "I wandered lonely as a cloud" por Beatrice Collins; *Tudor Ayres* pela School Glee Society; recital de violino da Waltz in a Flat de Chopin, por Mary Pipitt. A longa tarde de verão de vinte anos atrás lançou suas sombras sobre mim, e odiei a vida que tanto nos degenera. Pensei: naquele verão eu tinha acabado de começar meu primeiro romance; tinha tanta excitação, ambição e esperança quando me sentava para trabalhar; não era amargo, era feliz. Recoloquei a folha no livro que não fora lido e enfiei o volume no fundo do armário, debaixo do *Golliwog* e dos livros de Beatrix Potters. Nós éramos ambos felizes aos dez anos e a algumas cidades de distância, e mais tarde nos juntamos, sem outro propósito aparente, a não ser causar tanto sofrimento um ao outro. Apanhei *Last Expedition* de Scott. Aquele tinha sido um de meus livros favoritos. Parecia-me curiosamente antiquado agora, aquele heroísmo tendo como inimigo apenas o gelo, um auto-sacrifício que não envolvia mortes além da própria. Duas guerras nos separavam dele. Olhei as fotografias: as barbas e os óculos, os montinhos de neve, a bandeira inglesa, os burros com suas longas crinas parecendo penteados antiquados, no meio das rochas escarpadas. Até as mortes eram "de época", e também "de época" era a colegial que marcou as páginas com traços, pontos de exclamação e escreveu na margem da última carta de Scott para casa: "E o que vem depois? Será Deus? Robert Browning." Mesmo naquela ocasião, pensei, *Ele* lhe veio à mente. Ele era tão sorrateiro quanto um amante, tirando vantagem de um estado de espírito passageiro, como um herói que nos seduz com suas inverossimilhanças e suas lendas. Guardei o último livro e tranquei a porta.

7

— POR ONDE VOCÊ ANDOU, Henry? — perguntei. Ele era geralmente o primeiro a tomar café e às vezes saía de casa antes de eu descer, mas esta manhã seu prato não fora tocado e ouvi a porta da frente se fechar suavemente antes de ele aparecer.

— Estive aí pela rua — disse vagamente.

— Ficou fora a noite inteira? — perguntei.

— Não. É claro que não. — Para livrar-se desta acusação, disse-me a verdade. — O Padre Crompton rezou missa por Sarah, hoje.

— Ele ainda está fazendo isso?

— Uma vez por mês. Achei que seria delicado aparecer.

— Acho que ele não sentiria sua ausência.

— Falei com ele depois para agradecer-lhe. Aliás, convidei-o para jantar.

— Então vou sair.

— Gostaria que você ficasse, Bendrix. Afinal, à sua maneira, ele era amigo de Sarah.

— Você não está se tornando um crente também, está, Henry?

— É claro que não. Mas eles têm tanto direito às suas opiniões quanto nós às nossas.

Ele veio jantar. Feio, taciturno, sem graça, com o nariz de Torquemada; era o homem que tinha afastado Sarah de mim. Ele a havia apoiado na promessa absurda que deveria ter sido esquecida em uma semana. Foi na sua igreja que ela entrou, sob a chuva, buscando um refúgio e, em vez disso, "conseguindo a morte". Foi difícil para mim demonstrar até mesmo uma simples polidez e Henry teve que agüentar a carga do jantar. Padre Crompton não estava acostumado a jantar fora. Tinha-se a impressão de que estava cumprindo um dever e que achava difícil fazê-lo. Sua conversa era muito limitada e suas respostas caíam como árvores no meio da estrada.

— Há muita pobreza por aqui? — Henry disse, um pouco cansado, na hora do queijo. Tinha tentado vários assuntos: a influência dos livros, o cinema, uma recente visita à França, a possibilidade de uma terceira guerra.

— Isso não é problema — Padre Crompton respondeu.

Henry tornou a tentar:

— Imoralidade? — perguntou, com aquele tom ligeiramente falso que não podemos evitar quando usamos esta palavra.

— Isto nunca é problema — Padre Crompton disse.

— Pensei, talvez... o Common... a gente nota à noite...

— Isto ocorre em qualquer espaço aberto. E agora, de qualquer forma, estamos no inverno. — Isto encerrou o assunto.

— Quer mais queijo, padre?

— Não, obrigado.

— Suponho que num bairro como este o senhor tenha muita dificuldade para obter dinheiro, quer dizer, para caridade.

— As pessoas dão o que podem.

— Aceita um conhaque com o café?

— Não, obrigado.

— O senhor não se importa se nós...

— É claro que não. Não consigo dormir se beber, só isso, e tenho que me levantar às seis.

— E para quê?

— Para rezar. A pessoa se acostuma.

— Desde criança, nunca fui capaz de rezar muito — disse Henry.

— Costumava rezar para entrar no segundo XV.

— E entrou?

— Entrei no terceiro. Acho que esse tipo de oração não adianta muito, não é, padre?

— Qualquer oração é melhor que nenhuma. É um reconhecimento do poder de Deus, de alguma forma, e isso é um tipo de louvor, eu acho. — Eu não o havia ouvido falar tanto desde o começo do jantar.

— Teria achado que era mais como bater na madeira ou evitar as linhas da calçada. Pelo menos nessa idade.

— Bem — ele disse —, não sou contra um pouco de superstição. Dá às pessoas a idéia de que este mundo não é tudo — olhou-me, carrancudo, do alto do nariz. — Poderia ser o início da sabedoria.

— Sua igreja realmente faz a superstição em larga escala: São Januário, estátuas que sangram, visões da Virgem... este tipo de coisas.

— Nós tentamos classificá-las. E não é mais razoável acreditar que *alguma* coisa possa acontecer do que...?

A campainha tocou e Henry interrompeu-o:

— Eu disse à empregada que podia deitar-se. O senhor me dá licença, padre?

— Eu vou — disse eu. Estava satisfeito de sair daquela presença opressiva. Ele tinha as respostas muito prontas: um amador não poderia nunca apanhá-lo, era como um mágico que nos aborrece com a sua própria habilidade. Abri a porta da frente e vi uma mulher forte, vestida de preto, segurando um pacote. Por um momento, pensei que era nossa faxineira, mas ela disse:

— O senhor é o Sr. Bendrix?

— Sou.

— Eu queria lhe entregar isto — e enfiou o pacote rapidamente na minha mão, como se contivesse algum explosivo.

— Quem mandou?

— O Sr. Parkis.

Revirei o pacote, perplexo. Ocorreu-me até que ele podia ter se esquecido de alguma evidência, e que agora, tarde demais, estava entregando. Eu queria esquecer o Sr. Parkis.

— O senhor podia me dar um recibo? Minha missão é entregar o pacote nas suas próprias mãos.

— Não tenho lápis nem papel, realmente não quero ser incomodado.

— O senhor sabe como o Sr. Parkis é rígido com relação a registros. Eu tenho lápis na bolsa.

Assinei o recibo no verso de um envelope usado. Ela o guardou cuidadosamente e depois disparou para o portão como se quisesse se afastar dali o mais rapidamente possível. Fiquei de pé, na sala de entrada, calculando o peso do objeto em minha mão. Henry perguntou da sala de jantar:

— O que é, Bendrix?

— Um pacote de Parkis — eu disse. A frase soou como um quebra-língua.

— Ele deve estar devolvendo o livro.

— A essa hora? E está endereçado a mim.

— Bem, o que é, então? — Eu não queria abrir o pacote: não estávamos ambos passando pelo doloroso processo de esquecimento? Eu já fora suficientemente punido por minha visita à agência do Sr. Savage. Ouvi a voz do Padre Crompton dizendo:

— Eu preciso ir agora, Sr. Miles.

— É cedo ainda.

Pensei que, se ficasse fora da sala, não teria que juntar minha polidez à de Henry, e ele poderia ir embora mais depressa. Abri o pacote.

Henry estava certo. Era um dos contos de fadas de Andrew Lang, mas havia um pedaço de papel dobrado entre as folhas. Era uma carta de Parkis.

"Caro Sr. Bendrix", eu li, e, pensando que era um bilhete de agradecimento, saltei impacientemente para as últimas frases. "Então, nessas circunstâncias, eu preferiria não ficar com o livro em casa e espero que o senhor explique ao Sr. Miles que não há nenhuma ingratidão da parte do atenciosamente seu, Alfred Parkis."

Sentei-me no vestíbulo. Ouvi Henry dizer:

— Não pense que tenho a mente fechada, Padre Crompton — e comecei a ler a carta de Parkis desde o princípio:

"Caro Sr. Bendrix, estou escrevendo para o senhor e não para o Sr. Miles porque estou certo da sua simpatia, devido à nossa íntima embora triste associação, e por ser o senhor um cavalheiro literato, de imaginação, e acostumado com fatos estranhos. O senhor sabe que meu garoto tem estado mal ultimamente, com terríveis dores no estômago e, não sendo causadas pelo sorvete, temi que fosse apendicite. O médico disse para operar, que não podia fazer mal nenhum, mas tenho muito medo da faca para o meu pobre menino, tendo sua mãe morrido, tenho certeza, por negligência em uma operação. E o que faria eu se perdesse meu filho do mesmo jeito? Estaria completamente só. Perdoe-me todos os detalhes, Sr. Bendrix, mas, na minha profissão, somos habituados a pôr as coisas em ordem e explicar tudo ordenadamente, para que o juiz não possa reclamar que os fatos não lhe foram fornecidos de forma clara. Então, disse ao médico na segunda-feira: vamos esperar até ter certeza absoluta. Só que penso, às vezes, que foi o frio que fez isto. Ele esperava e vigiava do lado de fora da casa da Sra. Miles. E o senhor vai me desculpar se eu disser que ela era uma dama de muita bondade que merecia ser deixada em paz. Não se pode escolher na minha profissão, mas desde aquele primeiro dia em Maiden Lane desejei que fosse outra a dama que tivesse que vigiar. De qualquer maneira, meu garoto ficou terrivelmente perturbado quando soube como a pobre senhora tinha morrido. Ela só falou com ele uma vez, mas ele cismou, acho, que sua mãe tinha sido como ela. Mas não foi, embora fosse uma mulher boa e sincera também, a seu modo, de quem sinto falta todos os dias da minha vida. Bem, quando a temperatura dele estava em 39 graus, que é alta para um menino, ele começou a falar com a Sra. Miles como falara na rua, mas disse que a estava vigiando, o que evidentemente não faria, já que tem consciência profissional mesmo com sua pouca idade. Então, começou a chorar quando ela foi embora e depois dormiu. Mas quando acordou, ainda com 38 graus de febre, pediu o presente que ela lhe havia prometido no sonho. Foi por isto que incomodei o Sr. Miles e o enganei, pelo que me envergonho já que não havia nenhum motivo profissional, só o meu pobre garoto.

"Quando consegui o livro e lhe dei, ele se acalmou. Mas estava preocupado porque o médico disse que não se arriscaria mais, que ele precisava ir para o hospital na quarta-feira e que se houvesse um leito vago, ele o teria mandado para lá naquela mesma noite. Então, como o senhor vê, não pude dormir, preocupado por causa da minha pobre mulher e do meu filho, e com medo da faca. Não me acanho de dizer ao *senhor*, Sr. Bendrix, que rezei muito. Rezei para Deus e depois rezei para a minha mulher fazer o que pudesse, porque se há alguém no céu, ela está lá agora, e pedi à Sra. Miles, se ela estivesse lá, para fazer o que pudesse também. Agora, se um homem adulto pode fazer isto, Sr. Bendrix, o senhor pode entender o meu pobre garoto imaginando coisas. Quando acordei hoje de manhã, a sua temperatura era 37 e ele não estava sentindo nenhuma dor, e quando o médico chegou, não havia mais nenhum ponto dolorido. Então disse que podíamos esperar um pouco e o garoto passou o dia inteiro bem. Só que ele disse ao médico que tinha sido a Sra. Miles que tinha vindo e acabado com a dor — tocando o lado direito do seu estômago, se o senhor me perdoar a indelicadeza — e ela escreveu no livro para ele. Mas o médico disse que ele devia ficar bem quieto, e o livro o excita; então, nestas circunstâncias, eu preferiria não ficar com o livro em casa..."

Quando eu virei a carta, havia um pós-escrito. "Há alguma coisa escrita no livro, mas qualquer um pode ver que foi escrita há muito tempo, quando a Sra. Miles era apenas uma garotinha, só que não posso explicar isso para o meu pobre garoto por medo que a dor volte. Respeitosamente, A.P." Virei a folha de rosto e vi a letra ainda não formada, escrita com lápis indelével, como nos outros livros em que a criança Sarah Bertram tinha criado seus motes.

"Quando fiquei doente minha mãe me deu este livro de Lang.
Se alguma pessoa roubá-lo sofrerá um grande golpe.
Mas se você está doente na cama
Pode levá-lo para ler."
Eu o levei de volta comigo para a sala de jantar.
— O que era? — Henry perguntou.
— O livro — eu disse. — Você leu o que Sarah havia escrito nele, antes de dá-lo para Parkis?
— Não. Por quê?
— Uma coincidência, só isso. Mas parece que você não precisa pertencer à religião do Padre Crompton para ser supersticioso. — Entreguei a carta a Henry; ele a leu e entregou-a ao Padre Crompton.
— Não gosto disto — Henry disse. — Sarah está morta. Detesto vê-la usada...
— Sei o que você quer dizer. Também sinto o mesmo.
— É como ouvir estranhos discutindo a seu respeito.
— Não estão dizendo nada de ruim — Padre Crompton disse. E pôs a carta na mesa. — Preciso ir agora. — Mas não fez nenhum movimento e ficou olhando para a carta sobre a mesa. Ele perguntou: — E a inscrição?
Empurrei o livro até ele, lembrando:
— Oh, foi escrita anos atrás. Ela escreveu este tipo de coisa numa porção dos seus livros, como todas as crianças.
— O tempo é uma coisa estranha — Padre Crompton disse.

— É claro que o garoto não podia entender que foi tudo feito no passado.

— Santo Agostinho perguntou de onde veio o tempo. Disse que veio do futuro que não existia ainda, entrou no presente que não tinha nenhuma duração, e foi para o passado que tinha deixado de existir. Não acho que possamos entender o tempo melhor que uma criança.

— Eu não quis dizer...

— Bem — ele disse, levantando-se —, o senhor não deve levar isto muito a sério, Sr. Miles. Isto serve apenas para mostrar como sua esposa era boa.

— Isto não me ajuda em nada. Ela é parte do passado que deixou de existir.

— O homem que escreveu esta carta é bastante sensato. Não há mal nenhum em se rezar aos mortos bem como por eles. — E repetiu sua frase: — Ela era uma boa mulher.

Subitamente, perdi a paciência. Acho que me aborreci, principalmente, com sua complacência, a sensação de que nada de intelectual poderia jamais perturbá-lo, sua presunção de conhecer intimamente alguém que ele só tinha visto por algumas horas ou dias, a quem tínhamos conhecido durante anos. Eu disse:

— Ela não era nada disso.

— Bendrix — Henry disse, asperamente.

— Ela podia colocar vendas em qualquer homem — eu disse —, até mesmo num padre. Ela o enganou, padre, como enganou ao marido e a mim. Era uma mentirosa contumaz.

— Ela nunca fingiu ser aquilo que não era.

— Não fui seu único amante...

— Pare com isso — gritou Henry. — Você não tem nenhum direito...

— Deixe-o em paz. — Padre Crompton interveio. — Deixe o pobre homem desabafar.

— Não me venha com sua piedade profissional, padre. Guarde-a para os seus penitentes.

— O senhor não pode dizer-me de quem devo ter pena, Sr. Bendrix.

— Qualquer homem podia tê-la. — Eu desejava acreditar no que tinha dito, porque assim não haveria do que sentir saudades. Não mais estaria ligado a ela, onde quer que ela estivesse. Estaria livre.

— E o senhor não pode me ensinar nada a respeito de penitência, Sr. Bendrix. Tenho vinte e cinco anos de confessionário. Não há nada que possamos fazer que alguns santos já não tenham feito antes de nós.

— Não tenho nada do que me arrepender, exceto do fracasso. Volte para o seu próprio povo, padre, volte para o seu maldito cubículo e para o seu terço.

— O senhor me encontrará lá se algum dia precisar de mim.

— Eu precisar do senhor, padre? Não quero ser rude, mas não sou Sarah. Não sou Sarah.

Henry disse, embaraçado:

— Sinto muito, padre.

— Não há motivo. Sei quando um homem está sofrendo.

Eu não conseguia atravessar a couraça da sua complacência. Empurrei minha cadeira para trás e disse:

— O senhor está errado, padre. Isto não é uma coisa tão sutil como a dor. Não estou sofrendo, estou com ódio. Odeio Sarah porque ela era uma mulher fácil e odeio Henry porque ela ficou com ele, e odeio o senhor e o seu Deus imaginário porque vocês a tiraram de todos nós.

— O senhor é bom de ódio — Padre Crompton disse.

Havia lágrimas nos meus olhos porque não conseguia ferir nenhum deles, e explodi minha raiva:

— Vocês que vão todos para o inferno.

Bati a porta e deixe-os lá dentro, juntos. Ele que vomite sua santa sabedoria em cima de Henry, pensei, estou sozinho. Quero ficar sozinho. Já que não posso ter você, vou ficar sempre sozinho. Oh, sou tão capaz de acreditar quanto qualquer pessoa. Teria apenas que fechar os olhos da mente por um tempo suficientemente longo e poderia acreditar que você apareceu para o filho de Parkis à noite e tocou-o, trazendo-lhe paz. No mês passado, no crematório, pedi a você que livrasse aquela garota de mim e você empurrou sua mãe entre nós — como poderiam pensar. Mas se eu começar a acreditar nisso, terei que acreditar no seu Deus. Teria que amar o seu Deus. E eu preferiria amar os homens com os quais você dormiu.

Tenho que ser sensato, disse a mim mesmo ao subir as escadas. Sarah já estava morta há algum tempo; não se pode continuar a amar os mortos com tanta intensidade, só os vivos, e ela não está viva, ela não pode estar viva. Não devo acreditar que está viva. Deitei-me em minha cama, fechei os olhos e tentei ser sensato. Se às vezes a odeio tanto, como posso amá-la? Será que se pode ao mesmo tempo amar e odiar? Ou é só a mim que odeio realmente? Odeio os livros que escrevo, com uma destreza trivial e sem importância; odeio esta minha mente de artesão, tão ansiosa em copiar a realidade que resolvi seduzir uma mulher que não amava, apenas pelas informações que poderia obter; odeio este corpo que sentiu tanto prazer e não soube expressar o que o coração sentia; e odeio a minha mente desconfiada que pôs Parkis para vigiá-la, passando talco em campainhas, revirando latas de lixo, roubando os seus segredos.

Apanhei o diário dela na gaveta da mesinha-de-cabeceira e, abrindo-o ao acaso, numa data em janeiro passado, li: "Oh, Deus, se eu conseguisse realmente odiá-lo, o que isso significaria?" E pensei: odiar Sarah é simplesmente amar Sarah, e odiar a mim mesmo significa simplesmente amar a mim mesmo. Não mereço ser odiado

— Maurice Bendrix, autor de *The Ambicious Host*, *The Crowned Image*, *The Grave on the Water-Front*, Bendrix, o escriba. Nada — nem mesmo Sarah — merece o nosso ódio se Você existir, apenas Você o merece. E, pensei, às vezes odiei Maurice, mas será que o teria odiado se não o tivesse amado também? Oh, Deus, se eu pudesse mesmo odiá-lo...

Lembrei-me de como Sarah tinha rezado para o Deus em que não acreditava, e agora eu falava como a Sarah em que não acreditava. Eu disse: você sacrificou a nós dois uma vez para trazer-me de volta à vida. Mas que espécie de vida é esta sem você? Para você, não tem importância amar a Deus. Você está morta. Você O tem. Mas eu estou cheio de vida, estou podre de saúde. Se eu começar a amar a Deus, não posso simplesmente morrer. Preciso fazer alguma coisa com isto. Eu precisava tocá-la com minhas mãos, precisava prová-la com minha língua: não se pode amar e não se fazer nada. Não adianta você me dizer para não me preocupar, como disse uma vez, num sonho. Se eu viesse a amar assim, seria o fim de tudo. Amando você, eu não tinha apetite para comer, não sentia desejo por nenhuma outra mulher, mas amando-O, não haveria prazer em nada, Ele estando ausente. Perderia até o meu trabalho, deixaria de ser Bendrix. Sarah, estou com medo.

Aquela noite, acordei às duas da manhã. Desci até a copa e apanhei alguns biscoitos e um copo d'água. Estava arrependido de ter falado daquela maneira a respeito de Sarah, na frente de Henry. O padre tinha dito que não havia nada que pudéssemos fazer que algum santo não tivesse feito antes. Isto poderia ser verdade em relação a assassinato e adultério, os pecados espetaculares, mas será que algum santo alguma vez teria sido culpado de inveja e mesquinharia? Meu ódio era tão mesquinho quanto meu amor. Abri a porta devagarinho e olhei para Henry. Estava dormindo com a luz acesa e o braço sobre os olhos. Com os olhos escondidos, o resto do corpo se tornava anônimo. Era apenas um homem — um de nós. Era como

o primeiro soldado inimigo que se encontra num campo de bata-
lha, morto e indistinguível, não um branco ou um vermelho, mas
apenas um ser humano. Pus dois biscoitos ao lado de sua cama, caso
ele acordasse, e apaguei a luz.

8

O MEU LIVRO NÃO IA BEM (que perda de tempo me parecia o ato de escrever, mas de que outro modo poderia usar o tempo?) e fui dar um passeio no Common para ouvir os oradores. Havia um homem que costumava me divertir antes da guerra e fiquei contente de vê-lo a salvo, de volta a seu banquinho. Ele não tinha nenhuma mensagem para dar, ao contrário dos oradores políticos e religiosos. Era um ex-ator e apenas contava histórias e recitava trechos de poemas. Desafiava os ouvintes a derrotá-lo pedindo qualquer trecho de poesia. "The Ancient Mariner", alguém pedia, e imediatamente, com grande ênfase, ele nos recitava uma estrofe. Um gaiato disse: "Trigésimo Segundo Soneto de Shakespeare", e ele recitou quatro versos ao acaso e quando o gaiato reclamou, ele disse: "A sua edição está errada." Olhei os outros ouvintes à minha volta e vi Smythe. Talvez ele me tivesse visto primeiro, pois estava com o lado bonito do rosto voltado para mim, o lado que Sarah não havia beijado, mas ele evitou os meus olhos.

Por que sempre queria falar com qualquer pessoa que Sarah tivesse conhecido? Abri caminho até ele e disse:

— Alô, Smythe.

Ele apertou um lenço de encontro ao lado ruim do rosto e virou-se para mim.

— Oh, é o Sr. Bendrix — disse.

— Eu não o tenho visto desde o funeral.

— Estive fora.

— Você não fala mais aqui?

— Não. — Ele hesitou e depois acrescentou, contra a vontade:

— Desisti de falar em público.

— Mas você ainda dá aulas particulares? — provoquei.

— Não. Desisti também.

— Não modificou seu pensamento, espero?

— Não sei mais em que acreditar — confessou melancolicamente.

— Em nada. Sem dúvida, o ponto era este.

— Era. — Começou a se afastar da multidão e me vi do seu outro lado. Não pude deixar de provocá-lo um pouco mais.

— Está com dor de dente? — perguntei.

— Não. Por quê?

— Pensei que estivesse. Por causa do lenço.

Ele não respondeu, mas tirou o lenço e então vi. Não havia mais o que esconder. Sua pele estava fresca e jovem, apenas com uma marca insignificante. Depois disse:

— Fico enfadado de explicar quando encontro pessoas conhecidas.

— Você encontrou uma cura?

— Encontrei. Disse a você que tinha estado fora.

— Numa casa de saúde?

— Foi.

— Operação?

— Não exatamente — acrescentou de má vontade. — Através de toque.

— Uma cura pela fé?

— Não tenho fé. Jamais iria a um curandeiro.

— O que era aquilo? Urticária?

Ele disse vagamente, para encerrar o assunto.

— Métodos modernos. Eletricidade.

Voltei para casa e tentei trabalhar em meu livro. Quando começo a escrever, sempre há um personagem que, obstinadamente, se recusa a ganhar vida. Não há nada psicologicamente falso, mas ele resiste, tem que ser empurrado, tenho que encontrar suas palavras; tenho que empregar toda a habilidade técnica que adquiri em anos de trabalho para fazê-lo parecer vivo a meus leitores. Às vezes, experimento uma satisfação amarga, quando meus críticos o caracterizam como o personagem mais bem achado da história. Se não foi achado, foi certamente arrancado. Ele fica pesando em minha mente toda vez que começo a trabalhar, como uma refeição indigesta no estômago, privando-me do prazer da criação em qualquer cena em que esteja presente. Ele nunca faz o inesperado, nunca me surpreende, nunca toma a iniciativa. Todos os outros personagens ajudam, ele só atrapalha.

No entanto, não se pode passar sem ele. Posso imaginar um Deus sentindo a mesma coisa em relação a um de nós. Os santos, supõe-se, de uma certa forma, criam-se a si mesmos. Adquirem vida. São capazes de surpreender com uma palavra ou uma ação. Mantêm-se fora da trama, sem se deixarem condicionar por ela. Mas nós temos que ser empurrados. Temos a obstinação da não existência. Estamos irremediavelmente presos à trama, e Deus, fatigadamente, nos usa à força uma vez ou outra, de acordo com Suas intenções; personagens sem poesia, sem livre-arbítrio, cuja única função é, em algum lugar, em algum momento, ajudarmos a criar a cena em que um personagem vivo se move e fala, talvez dando oportunidade aos santos a que exerçam o *seu* livre-arbítrio.

Fiquei contente quando ouvi a porta se fechar e os passos de Henry na entrada. Era uma desculpa para parar. Agora, aquele personagem podia ficar inerte até de manhã: estava finalmente na hora de ir ao Pontefract Arms. Esperei que ele me chamasse (em um mês nós já tínhamos nossos hábitos, como dois solteirões que vivem juntos há anos). Mas não me chamou e percebi que tinha ido para o escritório. Logo em seguida fui atrás dele: estava sentindo falta do meu drinque.

Lembrei-me da primeira vez em que voltei para casa com ele; ele estava sentado ao lado do Arremessador de Disco, preocupado e desanimado, mas agora, observando-o, não senti inveja nem prazer.

— Um drinque, Henry?

— Sim, sim. É claro. Eu só ia trocar os sapatos. — Ele possuía sapatos de andar na cidade e de andar no campo, e o Common para ele era o campo. Inclinou-se sobre os cadarços: havia um nó que não conseguia desatar. Ele sempre foi desajeitado com as mãos. Ficou cansado de lutar e arrancou o sapato. Eu o apanhei e desatei o nó para ele.

— Obrigado, Bendrix. — Talvez até mesmo um ato tão insignificante de companheirismo lhe desse segurança. — Aconteceu uma coisa muito desagradável hoje no escritório — disse.

— Conte-me.

— A Srta. Bertram me procurou. Acho que você não conhece a Sra. Bertram.

— Conheço, sim. Encontrei-a no outro dia. — Uma expressão curiosa, no outro dia, como se todos os dias fossem iguais exceto aquele.

— Nós nunca nos demos muito bem.

— Ela me disse.

— Sarah foi sempre muito compreensiva a esse respeito. Ela a mantinha à distância.

— Ela foi pedir dinheiro emprestado?

— Foi. Queria dez libras, sua história de sempre, está na cidade por um dia, fazendo compras, ficou sem dinheiro, os bancos estão fechados... Bendrix, não sou um homem mesquinho, mas fico tão irritado com o modo dela. Ela ganha duas mil libras por ano. É quase tanto quanto eu ganho.

— Você lhe deu o dinheiro?

— Oh, sim. A gente sempre acaba dando, mas o problema é que não resisti a um sermão. Ela ficou furiosa. Eu lhe disse quantas vezes já havia feito aquilo e quantas vezes me havia pago o que devia:

apenas na primeira vez. Ela apanhou o talão de cheques e disse que ia me pagar imediatamente tudo o que me devia. Estava tão zangada que tenho certeza de que estava sendo sincera. Realmente esquecera que havia usado o último cheque. Estava com a intenção de me humilhar, e só conseguiu humilhar a si mesma, pobre mulher. Evidentemente, isto piorou as coisas.

— O que ela fez?

— Acusou-me de não ter dado um funeral decente a Sarah. Contou-me uma história estranha...

— Eu conheço. Contou-me também, depois de alguns cálices de vinho do Porto.

— Você acha que ela está mentindo?

— Não.

— É uma coincidência extraordinária, não é? Batizada aos dois anos de idade e depois começa a voltar para o que não podia nem mesmo lembrar... É como uma infecção.

— É como você disse, uma estranha coincidência. — Certa vez eu dera a Henry a energia suficiente; não o deixaria fraquejar agora.

— Tenho visto coincidências mais estranhas — continuei. — Durante o último ano, Henry, vivi tão aborrecido que colecionei até números de placas de automóveis. Isto nos dá uma lição em termos de coincidência. Dez mil números possíveis, e só Deus sabe quantas combinações, e, no entanto, várias vezes, vi dois carros com os mesmos números lado a lado no trânsito.

— Sim. Suponho que esteja correto.

— Nunca vou perder a fé em coincidências, Henry.

O telefone tocava fracamente lá em cima: não o havíamos ouvido ainda porque o aparelho do escritório estava desligado.

— Ai, meu Deus — disse Henry. — Não ficaria nada surpreso se fosse aquela mulher de novo.

— Deixe tocar. — E, enquanto eu falava, a campainha parou.

— Não é que eu seja pão-duro — Henry disse. — Não acho que ela me tenha pedido emprestadas mais de cem libras, em dez anos.

— Vamos sair e tomar um drinque.

— Claro. Oh, não calcei os sapatos. — Inclinou-se e pude ver a careca no alto de sua cabeça. Era como se suas preocupações tivessem aflorado à superfície. Eu tinha sido uma de suas preocupações. Ele disse: — Não sei o que faria sem você, Bendrix.

Tirei um pouco de caspa do seu ombro.

— Bem, Henry... — e então, antes que nos movêssemos, o telefone começou a tocar de novo. — Deixe tocar — eu disse.

— É melhor atender. Nunca se sabe... — Ele se levantou, com os cordões do sapato desamarrados, e foi até a escrivaninha. — Alô — ele disse. — Miles falando. — Passou-me o telefone dizendo com alívio: — É para você.

— Alô, é Bendrix quem está falando.

— Sr. Bendrix — disse uma voz de homem —, achei que tinha que telefonar para o senhor. Não lhe contei a verdade esta tarde.

— Quem está falando?

— É Smythe — disse a voz.

— Não compreendo.

— Eu lhe disse que tinha estado numa casa de saúde. Mas não é verdade.

— Mas não me importo nem um pouco com isso.

A voz dele estava ansiosa:

— É claro que se importa. O senhor não está prestando atenção. Ninguém tratou do meu rosto. Ele ficou bom de repente, em uma noite.

— Como? Eu ainda não...

Ele respondeu com um ar de cumplicidade.

— O senhor e eu sabemos como. Não podemos negar isto. Não foi correto da minha parte manter isto em segredo. Foi um...

Desliguei o telefone antes que ele pudesse usar aquela palavra idiota que era a alternativa para "coincidência". Lembrei-me da sua mão direita fechada, da minha raiva de que os mortos pudessem ser repartidos do mesmo modo que suas roupas. Pensei: ele é tão orgulhoso que tem sempre que ter algum tipo de revelação. Dentro de uma ou duas semanas, estará falando sobre isso no Common e mostrará o rosto curado. Será publicado nos jornais: "Orador materialista convertido por cura milagrosa." Tentei lançar mão de toda a minha fé em coincidências, mas só consegui pensar — e com inveja de não ter nenhuma relíquia — naquele rosto marcado, deitado à noite sobre o cabelo dela.

— Quem é? — Henry perguntou. Hesitei um momento entre dizer-lhe ou não e achei melhor não dizer. Não confio nele. Ele e o Padre Crompton vão agir juntos, pensei.

— Smythe — eu disse.

— Smythe?

— Aquele cara que Sarah costumava visitar.

— O que ele queria?

— O rosto dele está curado, só isto. Pedi que ele me desse o nome do especialista. Tenho um amigo...

— Tratamento elétrico?

— Não tenho certeza. Li em algum lugar que a urticária tem uma origem histérica. Uma mistura de psiquiatria e radiação. — Parecia plausível. Talvez, afinal de contas, isto fosse verdade. Uma outra coincidência, dois carros com a mesma placa, e me perguntei, com uma sensação de cansaço, quantas coincidências ainda haveria. A mãe dela no funeral, o sonho do menino. Será que isto vai continuar dia após dia? Senti-me como um nadador que foi além de seus limites e sabe que a correnteza é mais forte, mas, se eu tivesse que me afogar, ia tentar manter Henry na superfície até o último momento. Não era este, afinal de contas, o dever de um amigo? Se não se conseguisse provar o contrário, se isto chegasse aos jornais, quem poderia prever onde iria acabar?

Lembrei-me das rosas em Manchester — muito tempo se passou até que aquela fraude fosse descoberta. As pessoas andavam tão histéricas ultimamente. Poderia haver caçadores de relíquias, orações, procissões. Henry não era um desconhecido; o escândalo seria enorme. E todos os jornalistas perguntando sobre a vida deles e desencavando aquela história esquisita do batismo perto de Deauville. A vulgaridade da imprensa piedosa. Podia imaginar as manchetes. E as manchetes iriam produzir mais "milagres". Tínhamos que acabar com aquilo logo de início. Lembrei-me do diário, lá em cima, na minha gaveta, e achei que precisava destruí-lo também, pois poderia ser interpretado à maneira deles. Era como se, para salvá-la para nós, tivéssemos que destruir suas feições, uma a uma. Até mesmo seus livros de criança se mostraram perigosos. Havia fotografias — aquela que Henry tinha tirado: não podia cair nas mãos da imprensa. Será que se podia confiar em Maud? Nós dois tínhamos tentado construir uma casa provisória juntos, e até mesmo isto estava sendo destruído.

— E nosso drinque? — Henry perguntou.

— Volto em um minuto.

Fui até meu quarto e apanhei o diário. Arranquei as capas. Elas eram fortes: a encadernação de pano saiu em tiras; era como arrancar os membros de um pássaro, e lá ficou o diário em cima da cama, um bloco de papel, ferido e sem asas. A última página estava virada para cima e eu li de novo: "Você nos estava ensinando a esbanjar, para que, um dia, não nos restasse mais nada, exceto este amor por Você. Mas Você é bom demais para mim. Quando eu peço dor, Você me dá paz. Dê a ele também. Dê-lhe a minha paz — ele precisa dela mais do que eu."

Pensei: você falhou aí, Sarah. Pelo menos uma das suas orações não foi atendida. Não tenho paz nem amor, a não ser por você, você. Disse a ela: "Sou um homem que odeia." Mas não estava sentindo tanto ódio; tinha chamado outras pessoas de histéricas, mas minhas próprias palavras eram exageradas. Podia detectar-lhes a insinceridade. O que estava sentindo era muito mais medo do que ódio. Porque se Deus existe, pensei, e se até você — com sua paixão, seus adultérios e suas pequenas mentiras — pôde mudar assim, nós todos poderíamos ser santos dando o salto que você deu, fechando os olhos e saltando de uma vez por todas: se *você* é uma santa, não é assim tão difícil ser santo. É algo que Ele pode pedir a qualquer um; saltar. Mas não vou saltar. Sentei-me na cama e disse a Deus: Você a levou, mas ainda não conseguiu me pegar. Conheço Sua esperteza. É Você que nos leva para um lugar alto e nos oferece o universo inteiro. Você é um demônio, Deus, tentando-nos a saltar. Mas eu não quero Sua paz e não quero Seu amor. Queria uma coisa muito simples e muito fácil: queria Sarah para o resto da vida e Você a levou. Com Seus grandes esquemas, Você arruinou nossa felicidade como um lavrador arruína o ninho de um camundongo: eu O odeio, Deus, eu O odeio como se Você existisse.

Olhei para o bloco de papel. Era mais impessoal que um cacho de cabelo. Pode-se tocar no cabelo com os dedos e com os lábios, e eu estava exausto de lidar com a mente. Tinha vivido para o corpo dela e queria aquele corpo. Mas o diário era tudo o que eu tinha, então guardei-o de volta no armário, pois destruí-lo e ficar completamente sem ela teria sido mais uma vitória para Ele. Eu disse a Sarah: "Está bem, faça as coisas à *sua* maneira. Acredito que você está viva e que Ele existe, mas vai ser preciso mais do que suas orações para transformar em amor este ódio que sinto por Ele. Ele me roubou e como aquele rei sobre o qual você escreveu, eu vou roubá-Lo do que Ele quer de mim. O ódio está em meu cérebro, não no meu estômago ou na minha pele. Ele não pode ser removido como uma erupção ou uma dor. Eu não a odiei e amei ao mesmo tempo? Não odeio a mim mesmo?"

E gritei para Henry:

— Estou pronto.

E andamos lado a lado pelo Common, em direção ao Pontefract Arms; as luzes estavam apagadas e os amantes se acariciavam nas esquinas; e do outro lado do gramado estava a casa com os degraus destruídos em que Ele me devolveu esta vida aleijada e sem esperança.

— Espero com ansiedade por essas nossas caminhadas noturnas — Henry disse.

Eu pensei: de manhã vou ligar para um médico e perguntar se é possível uma cura pela fé. E então pensei: é melhor não; enquanto não se *sabe*, pode-se imaginar inúmeras curas... Segurei o braço de Henry; eu tinha que ser forte por nós dois agora, e ele ainda não estava muito preocupado.

— São as únicas coisas que eu espero com ansiedade — Henry disse.

Escrevi no começo que esta era uma história de ódio, e andando ali ao lado de Henry, para tomar o copo de cerveja habitual, encontrei a única oração que parecia de acordo com o humor do inverno: Oh Deus, Você já fez o bastante, já me privou do bastante, estou cansado e velho demais para aprender a amar, deixe-me em paz para sempre.

* * *

Este livro foi composto na tipologia Aldine 401
em corpo 11/14 e impresso em papel
Offset 75g/m² no Sistema Cameron da
Divisão Gráfica da Distribuidora Record.

EDMAN
9920.0459

EDMAN
9930-0459